ÉLOGE DE LA FOLIE

ÉRASME

ÉLOGE DE LA FOLIE

Traduction
par
Pierre de Nolhac

suivi de la

LETTRE D'ÉRASME A DORPIUS

avec des annotations de
Maurice Rat
agrégé de l'Université

GF-Flammarion

ISBN 2-08-070036-7

PRÉFACE

Quand des hommes de notre temps sont pris du désir de traduire une œuvre du latin, ils ne reviennent guère à Horace ou à Juvénal, qui tentaient nos pères. Pourquoi n'iraient-ils pas à un des beaux livres écrits en ce latin qui fut la langue encore vivante de l'Humanisme ? Tout un trésor, presque ignoré, reste ouvert à leur curiosité. Ils y goûteraient la surprise du vocabulaire classique exprimant sans effort les idées de la Renaissance, si proches des nôtres ; ils y trouveraient matière à des comparaisons instructives avec les premières grandes œuvres des littératures modernes. Chez les poètes, par exemple, notre Michel de l'Hospital ou l'aimable Muret des *Juvenilia* semblent tout à fait dignes de leurs amis de la Pléiade, qui, malgré la diversité du langage, les tinrent pour leurs émules. Il y a longtemps, pour ma part, que je préfère la lecture de Pétrarque latiniste ou de Politien à celle de Cicéron, et c'est souvent par les bons humanistes italiens et français que je retourne aux Anciens, nos communs maîtres.

Érasme, chef incontesté des esprits de la Renaissance dans les pays du Nord, devrait nous attirer plus souvent. L'*Eloge* fameux n'est pas son chef-d'œuvre ; l'auteur ne l'a jamais tenu pour tel et le succès de cette fantaisie l'étonna lui-même. C'est un essai qui ne vaut pas les ouvrages de sa maturité. Comme le *Ciceronianus* rend mieux l'accent personnel de son esprit ! Comme les *Colloques* montrent plus nettement les mœurs du temps, peignent plus au vif ces diverses conditions de la vie parmi lesquelles la Folie n'a fait que promener sa marotte ! Le livre était loin de satisfaire le goût universel des contemporains. Il trouva des contradicteurs de marque : « Il a pour lui », écrit l'un d'eux, « l'ardente louange du grand nombre, l'admiration sincère de beaucoup de gens. Cependant, vous y remarquerez l'impudence d'Érasme bien plutôt que la force de son style. Il rit, plaisante, s'amuse, s'irrite, attaque, invective; il va jusqu'à railler, à propos du Christ. Le raisonnement est tout à fait banal, vulgaire, et sent l'école. » Ainsi parle la méchante langue d'Étienne Dolet.

Cette bagatelle, cependant, eut une diffusion immense. Ce passe-temps de lettré en voyage (car ce n'était pas autre chose) remua les foules, émut l'Église, inquiéta les grands et contribua à disposer l'Allemagne à écouter les Réformateurs. Comme la contre-réforme catholique ne fut pas moins préparée par la satire décisive des abus, on peut dire que ce petit livre a débordé de partout les intentions et les espérances de son auteur. Ce fut, sans qu'il y eût songé, le brûlot de la Renaissance qui mit le feu à de vieilles flottes où couraient les rats, et invita des générations plus libres aux navigations nouvelles.

C'est un ouvrage singulier, où il y a plus d'humour que d'esprit et plus d'érudition que de grâce. Il attache toutefois, et, quand on a commencé d'écouter le sermon que Dame Folie prêche à ces bonnes gens sous son bonnet à grelots, on veut savoir où elle nous mène et l'entendre jusqu'à la fin. Mais comment présenter à des lecteurs d'aujourd'hui cette fiction d'un pédantisme qui s'avoue en souriant, ces proverbes grecs qui alourdissent un texte déjà surchargé de réminiscences littéraires et mythologiques, cette longue facétie conçue pour divertir des clercs et des régents de collège et qui n'eut jamais l'ambition de parvenir jusqu'à nous ?

Pour traduire dans sa vérité ce latin verbeux et imagé, il faudrait retrouver la langue d'un Français du siècle d'Érasme. On songe d'abord que celle de Rabelais y serait assez idoine; mais la couleur en est trop forte, la truculence trop appuyée. Pour quelque rencontre heureuse, que de déceptions! On regrette que Rabelais ne puisse servir Érasme comme Érasme l'a servi. Il savait bien, et reconnaissait hautement, étant honnête homme, que toute sa formation intellectuelle venait de son maître. Il lui doit sa meilleure substance. Qu'on le dise une bonne fois, sans diminuer la gloire du conteur : si Érasme n'avait pas écrit, Rabelais ne ferait pas figure de « penseur »...

La langue de Montaigne, sa période abondante, sa façon d'insérer les textes anciens, conviendraient peut-être à notre dessein. Cependant, c'est la prose d'Henri Estienne qui semblerait la mieux choisie. L'*Apologie pour Hérodote*, les *Dialogues du langage français italianisé* fourniraient sans doute l'instrument le mieux adapté. Il y a, d'ailleurs, entre les deux écrivains, une parenté assez étroite. Bons hellénistes l'un et l'autre et « lucianisants » avertis, ils ont sur l'usage courant du latin des idées communes, combattent de même façon le « cicéronianisme » à l'italienne et, sachant penser librement, s'arrangent pour librement écrire. Estienne, qui fut à l'école d'Érasme comme tout le siècle, est un écolier de choix, qui a joui dans son métier de l'avantage d'être bilingue, alors que le maître universel a eu la disgrâce d'écrire toutes ses œuvres dans la langue qui allait mourir.

Je ne puis mettre à son service que celle d'un temps ingrat, où les études antiques, si elles gardent des fidèles très ardents, les comptent de moins en moins nombreux, où l'éducation de la jeunesse n'est plus celle dont Mélanchthon, Vivès, Rabelais, Montaigne ont transmis les principes érasmiens aux nations du Nord. La déchéance des humanités va nous laisser fort démunis pour réclamer le meilleur de notre héritage spirituel. Le beau mot d'*humanisme* lui-même, que j'ai contribué jadis à rendre français, se galvaude déjà à tous les usages et n'exprime presque jamais son véritable sens.

Travaillons à en maintenir la haute signification, et sauvons de la tradition littéraire ce qui peut en être sauvé. L'humble travail d'un traducteur n'y est point inutile. A la satisfaction qu'il ressent du service rendu, se joint pour lui une récompense déjà suffisante : il est entré, par la bonne clé, dans l'intimité de son auteur; il a surpris, avec les procédés de son style, les secrets mouvements de sa pensée.

Les bibliophiles ont toujours recherché l'*Éloge de la Folie*. Le plus enthousiaste que j'aie connu fut Marco Besso, de Trieste, qui en conservait, dans sa bibliothèque, toutes les éditions et traductions avec tous les travaux relatifs à Érasme. Il a élevé à l'*Éloge* un véritable monument dans sa publication faite à Rome en 1918. A toutes les recherches qui s'y trouvent résumées, l'édition

J.-B. Kan a ajouté des éléments critiques. Sans négliger de telles ressources, j'ai travaillé sur la rare édition de notre compatriote Charles Patin. Elle reproduit le commentaire philologique de Gérard Lister, qui fut approuvé par l'auteur, et qui renseigne notre ignorance sur tant d'allusions et de citations anonymes, courant dans le texte comme le filigrane dans le papier. Mais cet *Encomium Moriae*, publié à Bâle en 1676, a d'autres mérites. Il est offert à Colbert par une belle dédicace latine *(...Regis ab intimis consiliis et secretioribus mandatis, generali aerarii moderatori, summo regiorum aedificiorum praefecto, etc.)* Charles Patin, médecin, numismate et voyageur, raconte comment, après avoir parcouru l'Angleterre, la Belgique, l'Allemagne, l'Italie, pour comparer les méthodes de la médecine, il s'est fixé à Bâle et a fait, à la bibliothèque de l'Université, une précieuse rencontre. Ce sont les quatre-vingt-trois dessins à la plume qu'Holbein a jetés sur les marges de l'édition de 1514, et qui, d'après des annotations d'Érasme, ont passé sous ses yeux et l'ont fort réjoui. Notre compatriote, le premier, a jugé utile de les faire connaître au public, en les présentant avec le texte et, muni de l'autorisation des magistrats de la ville, il a procuré une édition d'un caractère tout à fait nouveau.

Les amateurs du temps apprécièrent cette illustration de l'*Éloge de la Folie*. Elle était due à des copies de Settler, de Berne, gravées par Merian, de Francfort. Quelques cuivres sont frappés dans le texte; mais ceux qui dépassent la justification sont tout simplement collés et repliés sur des blancs réservés. Chacun a goûté la saveur âpre et un peu rustique de ces compositions bâloises, popularisées depuis par des reproductions plus fidèles. Il est agréable de les feuilleter dans l'ouvrage qui les révéla. Patin y a joint une biographie latine d'Holbein et un *index operum*, curieux essai de catalogue raisonné, où l'on voit qu'il possédait lui-même des peintures du maître. Le portrait gravé des deux contemporains, et des témoignages choisis achèvent de faire de cette édition un monument à leur gloire commune.

Tant de fois reproduits depuis lors, les dessins d'Holbein semblent attachés au texte de son ami. Pourtant les nouveaux illustrateurs ont toujours reporté à leur propre temps la satire érasmienne. C'est ainsi qu'Eisen, à Paris, et Chodoiwiecky, à Berlin, ont transporté l'*Éloge* en d'amusantes scènes du XVIIIe siècle. Notre Lepère a fait de même pour le début du XXe siècle. Chas-Laborde, en mettant au service du texte immortel la plus étourdissante fantaisie, a fait la première tentative, depuis Holbein, de replacer les fantoches d'Érasme dans l'atmosphère où ils ont été conçus.

L'éditeur français de 1676 paraît préoccupé de présenter au ministre de Louis XIV un Érasme dépouillé de tout soupçon d'hétérodoxie. La réputation qu'il devait à ses ennemis persistait au XVIIe siècle et allait le poursuivre toujours. Les moines, même régénérés, ont la rancune longue, et quand la Sorbonne condamne, c'est pour longtemps.

Escrimez-vous, bon Patin, à pourfendre la calomnie! Mettez en lumière cette noble philosophie chrétienne, qui éclaire l'immense labeur de la vie d'Érasme et transparaît même dans les jeux débridés de son esprit! Replacez dans sa juste perspective le pamphlet que vous présentez à vos lecteurs, cette satire des gens d'Église qui épargne en ses attaques l'Église elle-même, cette violente image du pape Jules II qui tient hors de cause la Papauté, cette malice sans méchanceté qui tend à rendre les hommes meilleurs et nullement à les diviser! Vous pourriez rappeler que le théologien qui réfutera Luther n'a jamais cessé de se réclamer de l'unité romaine, qu'il a gardé à Rome les plus fidèles amitiés, même dans ce Sacré-Collège où il ne tint qu'à lui d'être admis, et qu'il n'a point cru nécessaire, pour détruire les abus, d'abattre l'institution qui abritait la chrétienté. Vous pourriez noter qu'il y eut quelque mérite et qu'il y risqua son repos; mais, disait-il, « quels que soient les dangers qui me menacent en Allemagne, je n'écouterai jamais que ma conscience, je n'irai à aucune secte nouvelle, je ne me séparerai jamais de Rome ». La vaste correspondance d'Érasme est pleine d'affirmations de ce genre, dont ses livres et sa carrière attestent la sincérité. Comment douter de la loyauté d'un écrivain qui, mettant au plus haut prix la liberté d'écrire, la tient toute sa vie au service de ses croyances ?

Cependant, ô Patin! on en doute encore, et ni vous, ni moi n'y pouvons rien. Les hommes ne veulent pas être dérangés dans leurs légendes et n'aiment pas qu'on leur change leur vérité. Notre Érasme continuera à être suspecté par ses coreligionnaires, pour avoir écrit l'*Éloge de la Folie.*

Comme il prévoyait peu les prochaines batailles, quand il méditait, au trot de son cheval, ses piquantes ironies! C'était sur les méchantes routes des Alpes et le long de la vallée du Rhin. Il quittait l'Italie, après trois ans de séjour, ivre d'étude et d'antiquité, ayant fréquenté les grands savants de l'heure, goûté les charmes d'une civilisation incomparable, qui semblait unir, pour l'enseignement du monde, la sagesse retrouvée des Anciens à la divine révélation de Jésus-Christ. L'humaniste se promettait de servir cette grande cause et d'instruire les hommes à être mieux chrétiens. Le gai délassement qu'il permettait à sa plume, il l'envoyait à son meilleur ami, l'intègre et pieux Thomas More, qui allait en rire avec lui. C'est là un répondant qui compte. Comment le petit livre n'a-t-il pas désarmé ses censeurs par le seul nom de ce dédicataire illustre, le futur chancelier d'Angleterre, supplicié pour la foi catholique et que l'Église a mis parmi ses saints!

ÉLOGE DE LA FOLIE

ÉRASME DE ROTTERDAM [1]

A SON CHER THOMAS MORUS [2]

SALUT

Ces jours derniers, voyageant d'Italie en Angleterre [3] et devant rester tout ce temps à cheval, je n'avais nulle envie de le perdre en ces banals bavardages où les Muses n'ont point de part. J'aimais mieux méditer quelques points des études qui nous sont communes ou bien j'évoquais les bons amis que j'ai quittés. J'en ai de si savants et de si exquis! Des premiers, ô Morus, tu te présentais à ma pensée. Ton souvenir, cher absent, m'est plaisant comme le fut jadis ta présence familière; et que je meure si j'ai jamais eu, dans ma vie, de joie plus douce!

Voulant donc m'occuper à tout prix, et les circonstances ne se prêtant guère à du travail sérieux, j'eus l'idée de composer par jeu un éloge de la Folie. Quelle Pallas, diras-tu, te l'a mise en tête [4]? C'est que j'ai pensé d'abord à ton propre nom de Morus, lequel est aussi voisin de celui de la Folie (*Moria*) [5] que ta personne est éloignée d'elle; tu es même de l'aveu de tous son plus grand adversaire. J'ai supposé ensuite que cet amusement de mon esprit gagnerait ton approbation, parce que tu ne crains pas un genre de plaisanterie qu'on peut rendre docte et agréable et que, dans le train ordinaire de la vie, tu tiens volontiers de Démocrite [6]. Certes, la profondeur de ta pensée t'éloigne fort du vulgaire; mais, tu as tant de bonne grâce et un caractère si indulgent, que tu sais accueillir d'humbles sujets et t'y plaire. Tu recevras donc avec bienveillance cette petite déclamation [7], comme un souvenir de ton ami [8], et tu accepteras de la défendre, puisqu'elle n'est plus à lui, mais à toi par sa dédicace.

Les détracteurs ne vont point manquer. Ils prétendront que ces bagatelles sont, les unes plus légères qu'il ne sied à un théologien, les autres trop mordantes pour ne pas blesser la réserve chrétienne; ils crieront sur les toits que je ramène à l'ancienne comédie [9] et à Lucien [10], et que je déchire tout le monde à belles dents. En vérité, ceux qu'offensent la légèreté du sujet et ce ton de plaisanterie devraient bien songer que je n'innove en rien. De grands auteurs en ont fait autant. Il y a des siècles qu'Homère s'est amusé au Combat des rats et des grenouilles [11]; Virgile au Culex [12] et au Moretum [13]; Ovide à la Nux [14]; Polycrate a louangé Busiris qu'Isocrate flagella [15]; Glaucon écrit l'éloge de l'Injustice [16]; Favorinus, celui de Thersite et de la fièvre quarte [17]; Synésius, de la Calvitie [18]; Lucien, celui de la Mouche et du Parasite [19]. Tandis que Sénèque a composé une apothéose de Claude [20], Plutarque s'est plu de même à faire dialoguer Ulysse et Gryllus [21]; Lucien et Apulée se sont divertis avec leur âne [22], et je ne sais qui avec le testament d'un cochon de lait nommé Grunnius Corocotta [23], dont fait mention saint Jérôme [24]. Si mes censeurs y consentent, qu'ils se figurent que j'ai voulu me distraire à jouer aux échecs ou, comme un enfant, à chevaucher un manche à balai [25].

Chacun peut se délasser librement des divers labeurs de la vie; quelle injustice de refuser ce droit au seul travailleur de l'esprit! surtout quand les bagatelles mènent au sérieux, surtout quand le lecteur, s'il a un peu de nez [26], y trouve mieux son compte qu'à mainte dissertation grave et pompeuse. Tel compile un éloge de la Rhétorique ou de la Philosophie, tel autre le panégyrique d'un prince ou une exhortation à combattre les Turcs; il y a des écrivains pour prédire l'avenir, d'autres pour imaginer des questions sur le poil des chèvres [27]. Rien n'est plus sot que de traiter avec sérieux de choses frivoles; mais rien n'est plus spirituel que de faire servir les frivolités à des choses sérieuses. C'est aux autres de me juger; pourtant, si l'amour-propre [28] ne m'égare, je crois avoir loué la Folie d'une manière qui n'est pas tout à fait folle.

A qui me reprocherait de mordre, je répondrais que l'écrivain eut toujours la liberté de railler impunément les communes conditions de la vie, pourvu qu'il n'y fît pas l'enragé. J'admire la délicatesse des oreilles de ce temps, qui n'admettent plus qu'un langage surchargé de solennelles flatteries. La religion même semble comprise à l'envers, quand on voit des gens moins offusqués des plus gros blasphèmes contre Jésus-Christ, que de la plus légère plaisanterie sur un pape ou sur un prince, surtout s'ils mangent son pain [29].

Critiquer les mœurs des hommes sans attaquer personne nominativement, est-ce vraiment mordre ? N'est-ce pas plutôt instruire et conseiller ? Au reste, ne fais-je pas sans cesse ma propre critique ? Une satire qui n'excepte aucun genre de vie ne s'en prend à nul homme en particulier, mais aux vices de tous. Et si quelqu'un se lève et crie qu'on l'a blessé, c'est donc qu'il se reconnaît coupable, ou tout au moins s'avoue inquiet. Dans ce genre, saint Jérôme s'est montré plus libre et plus âpre, et parfois sans épargner les noms. Je me suis abstenu, pour ma part, d'en prononcer un seul, et j'ai tellement modéré mon style que le lecteur intelligent verra sans peine que j'ai cherché à amuser, nullement à déchirer. Je n'ai pas, comme Juvénal, remué l'égout des vices cachés; je n'ai pas catalogué les hontes, mais les ridicules. S'il reste un obstiné que ces raisons n'apaisent point, je le prie de songer qu'il est honorable d'être attaqué par la Folie, puisque c'est elle que je mets en scène avec tous les traits de son personnage.

Mais pourquoi tant d'explications à un avocat tel que toi, qui plaides en perfection les causes même médiocres ? Je laisse à ta maîtrise le soin de défendre cette *Moria* qui est ton bien. Adieu, Morus très éloquent!

A la campagne, le 9 juin 1508 [30].

C'EST LA FOLIE QUI PARLE

I. — Les gens de ce monde tiennent sur moi bien des propos, et je sais tout le mal qu'on entend dire de la Folie, même chez les fous. C'est pourtant moi, et moi seule, qui réjouis les Dieux et les hommes. Aujourd'hui même, la preuve en est faite largement, puisqu'il m'a suffi de paraître devant ce nombreux auditoire pour mettre dans tous les yeux la plus étincelante gaîté. Tout de suite, votre visage s'est tendu vers moi [31] et votre aimable rire m'a applaudie joyeusement. Tous, tant que vous êtes, je vous vois, ivres du nectar des dieux d'Homère, mêlé toutefois d'un peu de népenthès [32], alors qu'il y a un instant vous étiez assis, soucieux et tristes, comme des échappés de l'antre de Trophonius [33].

Quand le beau soleil révèle à la terre sa face dorée, ou quand, après l'âpre hiver, le doux printemps revient et souffle les zéphyrs [34], tout change d'aspect dans la nature, tout se rajeunit de couleurs nouvelles; de même, dès que vous m'avez vue, votre physionomie s'est transformée. Ce que des rhéteurs, d'ailleurs considérables, n'obtiennent par leurs discours qu'à grand effort de préparations, c'est-à-dire chasser des âmes l'ennui, pour y réussir je n'ai eu qu'à me montrer.

II. — Pourquoi ai-je revêtu aujourd'hui cet accoutrement inusité, vous le saurez pour peu que vous me prêtiez l'oreille; non pas celle qui vous sert à ouïr les prêches sacrés, mais celle qui se dresse si bien à la foire devant les charlatans, les bouffons et les pitres, ou encore l'oreille d'âne que notre roi Midas exhiba devant le dieu Pan [35].

Il m'a plu de faire quelque peu le sophiste devant vous comme ceux qui inculquent à la jeunesse des niaiseries assommantes et lui enseignent une dispute plus entêtée que celle des femmes, mais à l'imitation de ces anciens qui, pour échapper à l'appellation déshonorante de Sages, choisirent celle de Sophistes. Leur zèle s'appliquait à composer des éloges de dieux et de héros. Vous entendrez donc un éloge, non d'Hercule, ni de Solon, mais le mien, celui de la Folie.

III. — Écartons les sages, qui taxent d'insanité et d'impertinence celui qui fait son propre éloge. Si c'est être fou, cela me convient à merveille. Quoi de mieux pour la Folie que de claironner elle-même sa gloire et de se chanter elle-même [36] ! Qui me dépeindrait plus véridiquement ? Je ne sache personne qui me connaisse mieux que moi. Je crois, d'ailleurs, montrer en cela plus de modestie que tel docte ou tel grand qui, par perverse pudeur, suborne à son profit la flatterie d'un rhéteur ou les inventions d'un poète, et le paye pour entendre de lui des louanges, c'est-à-dire de purs mensonges. Cependant, notre pudique personnage fait la roue comme un paon, lève la crête, tandis que d'impudents adulateurs comparent aux dieux sa nullité, le proposent, en le tenant pour le contraire, comme un modèle accompli de toutes les vertus, parent cette corneille de plumes empruntées, blanchissent cet Ethiopien [37] et présentent cette mouche comme un éléphant [38]. En fin de compte, utilisant un vieux proverbe de plus, je déclare qu'on a raison de se louer soi-même quand on ne trouve personne pour le faire.

Et voici que je m'étonne de l'ingratitude des hommes, ou plutôt de leur indifférence ! Tous me font volontiers la cour, tous, depuis des siècles, jouissent de mes bienfaits, et pas un n'a témoigné sa reconnaissance en célébrant la Folie, alors qu'on a vu des gens perdre leur huile et leur sommeil, à écrire en l'honneur des tyrans Busiris [39] et Phalaris [40], de la fièvre quarte [41], des mouches, de la calvitie [42] et de maint autre fléau. Vous entendrez de moi une improvisation non préparée, qui en sera d'autant plus sincère.

IV. — Le commun des adorateurs dit ainsi pour se faire valoir; vous savez bien qu'un discours qui leur a pris trente années de travail, ou qui n'est pas toujours leur ouvrage, ils jurent qu'ils n'ont mis que trois jours à l'écrire, en se jouant, ou même à le dicter. Quant à moi, j'ai eu toujours grand plaisir à dire tout ce qui me vient sur la langue [43].

Vous attendez peut-être, d'après l'usage commun de la rhétorique, que je fasse ma définition en plusieurs points. Non, je ne ferai rien de semblable. Il ne convient pas de limiter ou de diviser l'empire d'une divinité qui règne en tous lieux, et si loin que toute chose sur terre lui rend hommage. Et pourquoi me définir, me dessiner ou me peindre, puisque je suis en votre présence et que vous me contemplez de vos yeux ? Je suis, comme vous le voyez, cette véritable dispensatrice du bonheur [44] que les Latins nomment *Stultitia*, les Grecs, *Moria*.

V. — Nul besoin de vous le dire; je me révèle, comme on dit [45], au front et aux yeux, et si quelqu'un voulait me prendre pour Minerve ou pour la Sagesse, je le détromperais sans parler, par un seul regard, le miroir de l'âme le moins menteur. Je n'use point de fard, je ne simule pas sur le visage ce que je ne ressens pas dans mon cœur. Partout je ressemble à ce que je suis; je ne prends pas le déguisement de ceux qui tiennent à jouer un rôle de sagesse, et se promènent comme des singes sous la pourpre [46] et des ânes sous une peau de lion [47]. Qu'ils s'affublent tant qu'ils voudront, l'oreille pointe et trahit Midas.

Une ingrate race d'hommes, pourtant bien de ma clientèle, rougit en public de mon nom et ose en injurier les autres. Ce sont les plus fols, les *morotatoï*, qui veulent passer pour sages, faire les Thalès [48]; et ne devrions-nous pas les appeler *morosophoï* [49], les sages-fols ?

VI. — Ainsi nous imiterions ces rhéteurs de nos jours, qui se croient des dieux pour user d'une double langue, comme les sangsues [50], et tiennent pour merveille d'insérer en leur latin quelques petits vocables grecs, mosaïque souvent hors de propos. Si les mots étrangers leur manquent, ils arrachent à des parchemins pourris quatre ou cinq vieilles formules qui jettent la poudre aux yeux du lecteur, de façon que ceux qui les comprennent se rengorgent, et que ceux qui ne les comprennent pas les en admirent d'autant mieux. Les gens, en effet, trouvent leur suprême plaisir à ce qui leur est suprêmement étranger. Leur vanité y est intéressée; ils rient, applaudissent, remuent l'oreille comme les ânes, pour montrer qu'ils ont bien saisi [51] : « C'est ça, c'est bien ça! » Mais je reviens à mon sujet.

VII. — Vous savez donc mon nom, hommes... Quelle épithète ajouter? Archifous? soit! La déesse Folie ne peut qualifier plus honnêtement ses fidèles. Mais on ne sait guère d'où je viens, et c'est ce que j'essayerai de vous expliquer, avec le bon vouloir des Muses.

Le Chaos [52], ni Orcus [53], ni Saturne [54], ni Japet [55], aucun de ces dieux désuets et poussiéreux ne fut mon père. Je suis née de Plutus [56], géniteur unique des hommes et des Dieux [57], n'en déplaise à Homère et à Hésiode et même à Jupiter. Un simple geste de lui, aujourd'hui comme jadis, bouleverse le monde sacré et le monde profane; c'est lui qui règle à son gré guerres, paix, gouvernements, conseils, tribunaux, comices, mariages, traités, alliances, lois, arts, plaisir, travail... le souffle me manque... toutes les affaires publiques et privées des mortels. Sans son aide, le peuple entier des divinités poétiques, disons mieux, les grands Dieux [58] eux-mêmes n'existeraient pas, ou du moins feraient maigre chère au logis [59]. Celui qui a irrité Plutus, Pallas en personne ne le sauverait pas; celui qu'il protège, peut faire la nique même à Jupiter tonnant. Tel est mon père, et je m'en vante. Il ne m'a point engendrée de son cerveau, comme Jupiter cette triste et farouche Pallas, mais il m'a fait naître de la Jeunesse [60], la plus délicieuse de toutes les nymphes et la plus gaie. Entre eux, nul lien du fâcheux mariage, bon à produire un forgeron boiteux tel que Vulcain, mais le commerce de l'Amour [61] seulement, comme dit notre Homère, ce qui est infiniment plus doux. Ne pensez pas, je vous prie, au Plutus d'Aristophane [62], lequel est un vieux cacochyme et n'y voit plus; mon père fut un Plutus encore intact, tout échauffé de jeunesse [63], et pas seulement par sa jeunesse, mais par le nectar qu'il venait, sans doute, de lamper largement au banquet des Dieux [64].

VIII. — Si vous demandez où je suis née, puisque aujourd'hui la noblesse dépend avant tout du lieu où l'on a poussé ses premiers vagissements, je vous dirai que ce ne fut ni dans l'errante Délos [65], ni dans la mer aux mille plis [66], ni dans des grottes azurées [67], mais dans les Iles Fortunées [68] où les récoltes se font sans semailles ni labour [69]. Travail, vieillesse et maladie [70] y sont inconnus; on ne voit aux champs ni asphodèles, ni mauves, ni scilles [71], lupins ou fèves, ni autres plantes communes; mais de tous côtés y réjouissent les yeux et les narines le moly [72], la panacée [73], le népenthès [74], la marjolaine, l'ambroisie, le lotus [75], la rose, la violette, l'hyacinthe, tout le jardin d'Adonis [76]. Naissant dans de telles délices, je n'ai point salué la vie par des larmes, mais tout de suite j'ai ri à ma mère [77]. Je n'envie point au puissant fils de Cronos [78] sa chèvre nourricière [79], puisque je m'allaitai aux mamelles de deux nymphes très charmantes : l'Ivresse, fille de Bacchus, et l'Ignorance, fille de Pan [80]. Reconnaissez-les ici, dans le groupe de mes compagnes. Je vais vous présenter celles-ci, mais, par ma foi, je ne les nommerai qu'en grec.

IX. — Celle qui a les sourcils froncés, c'est Philautie [81] (l'Amour-propre). Celle que vous voyez rire des yeux et applaudir des mains, c'est Colacie [82] (la Flatterie). Celle qui semble dans un demi-sommeil, c'est Léthé (l'Oubli). Celle qui s'appuie sur les coudes et croise les mains, c'est Misoponie [83] (la Paresse). Celle qui est couronnée de roses et ointe de parfums, c'est Hédonè (la Volupté). Celle dont les yeux errent sans se fixer, c'est Anoia (l'Etourderie). Celle qui est bien en chair et de teint fleuri, c'est Tryphè (la Mollesse). Et voici, parmi ces jeunes femmes, deux dieux : celui de la Bonne Chère et celui du Profond Sommeil [84]. Ce sont là tous mes serviteurs, qui m'aident fidèlement à garder le gouvernement du Monde et à régner, même sur les rois.

X. — Vous connaissez mon origine, mon éducation, ma société. A présent, pour bien établir mes droits au titre divin, je vous révélerai quels avantages je procure aux Dieux et aux hommes, et jusqu'où s'étend mon empire. Ouvrez bien vos oreilles.

On a écrit [85] justement que le propre de la divinité est de soulager les hommes, et c'est à bon droit qu'en l'assemblée des Dieux sont admis ceux qui ont enseigné l'usage du vin, du blé, et les autres ressources de la vie. Pourquoi donc ne pas me reconnaître comme l'Alpha [86] de tous les Dieux, moi qui prodigue tout à tous ?

XI. — Et d'abord, qu'y a-t-il de plus doux, de plus précieux, que la vie elle-même ? Et à qui doit-on qu'elle commence, sinon à moi ? Ce n'est point, n'est-ce pas ? la lance de Pallas au père puissant [87], ni l'égide de Jupiter assembleur de nuées [88], qui engendrent le genre humain et le propagent. Le père des divinités et le maître des humains [89], qui fait trembler tout l'Olympe d'un signe de tête [90], est bien obligé de remiser sa foudre à triple pointe [91] et ce visage titanique [92] qui terrifie les Dieux, pour emprunter un pauvre masque, comme un acteur de comédie, chaque fois qu'il veut faire, ce qu'il fait souvent, un enfant.

Les Stoïciens ont la prétention de voisiner avec les Dieux. Qu'on m'en donne un qui soit trois ou quatre fois, mettons mille fois stoïcien; peut-être, dans le cas qui nous occupe, ne coupera-t-il pas sa barbe, emblème de sagesse qu'il partage avec le bouc [93]; mais il devra bien déposer sa morgue, dérider son front, abdiquer ses inflexibles principes, et il lui arrivera de débiter quelques bêtises et de risquer quelques folies. Oui, c'est moi, c'est bien moi qu'il appellera à l'aide, s'il veut être père.

Et pourquoi ne pas dire clairement les choses ? C'est ma manière. Voyons, avec quoi engendre-t-on les Dieux et les hommes ? Est-ce avec la tête, la face, la poitrine ? Est-ce avec la main ou l'oreille, toutes parties dites honnêtes ? Non point. Ce qui propage la race humaine, c'est une autre partie, si folle, si ridicule, qu'on ne peut la nommer sans rire. Bien plus qu'au « quaternaire » de Pythagore [94], c'est à cette source sacrée que tous les êtres puisent la vie.

Et puis, quel homme, je le demande, tendrait le col au joug du mariage, si, comme font nos sages, il calculait préalablement les inconvénients d'un tel état ? Et quelle femme irait à l'homme, si elle méditait ce qu'il y a de dangereux à mettre un enfant au monde et de fatigues pour l'élever ? Comme vous devez la vie au mariage, vous devez le mariage à ma suivante l'Étourderie. Et à moi, voyez aussi combien vous m'êtes redevables. Quelle femme, ayant passé par là, voudrait recommencer, si l'Oubli, que voici, n'était auprès d'elle ? Vénus elle-même, quoi qu'en pense Lucrèce [95], y userait vraiment sa force, si je n'intervenais pas dans l'affaire.

D'un jeu risible entre gens ivres proviennent les philosophes sourcilleux, dont tiennent la place aujourd'hui les êtres vulgairement dénommés moines, et les rois couverts de pourpre [96], les prêtres pieux, et les trois fois saints pontifes, et même toute cette réunion des dieux de la poésie, dont la foule est si grande que l'Olympe, tout spacieux qu'il soit, la contient à peine.

XII. — Mais ce serait peu de me montrer à vous Semence et Source de la vie, si je n'ajoutais que tout ce qu'il y a de bon en elle, vous me le devez également.

Que serait la vie, en effet, et mériterait-elle son nom, si le plaisir manquait ? Vos applaudissements m'assurent que je dis vrai. Pas un de vous n'est assez sage, ou plutôt assez fou, — non, disons assez sage, — pour être d'un autre avis. Ces fameux Stoïciens eux-mêmes ne dédaignent nullement le plaisir. Ils ont beau s'en cacher et lui décocher mille injures devant la foule, c'est pour en détourner les autres et s'en donner plus à l'aise. Qu'ils l'avouent donc, par Jupiter! Toute heure de la vie serait triste, ennuyeuse, insipide, assommante, s'il ne s'y joignait le plaisir, c'est-à-dire si la Folie n'y mettait son piquant. Je peux invoquer ici le témoignage de Sophocle, jamais assez loué, qui dit à mon sujet : « Moins on a de sagesse, plus on est heureux [97]. » Mais allons en détail au fond du débat.

XIII. — Qui ne sait que le premier âge est le plus joyeux et le plus agréable à vivre! Si nous aimons les enfants, les baisons, les caressons, si un ennemi même leur porte secours, n'est-ce pas parce qu'il y a en eux la séduction de la Folie ? La prudente Nature en munit les nouveau-nés pour qu'ils récompensent en agrément ceux qui les élèvent et qu'ils se concilient leur protection. A cet âge succède la jeunesse. Comme elle est fêtée de tous, choyée, encouragée, toutes les mains tendues vers elle! D'où vient le charme des enfants, sinon de moi, qui leur épargne la raison, et, du même coup, le souci ? Dis-je vrai ? Quand ils grandissent, étudient et prennent l'usage de la vie, leur grâce se fane, leur vivacité languit, leur gaîté se refroidit, leur vigueur baisse. A mesure que l'homme m'écarte, il vit de moins en moins. Enfin, voici l'importune vieillesse, à charge à autrui comme à elle-même [98], et que personne ne pourrait supporter, si je ne venais encore secourir tant de misères.

Comme font, chez les poètes, les Dieux qui sauvent de la mort par une métamorphose, je ramène au premier âge les vieillards voisins du tombeau. On dit d'eux fort justement qu'ils sont retombés en enfance [99]. Je n'ai pas à cacher comment j'opère. La fontaine de ma nymphe Léthé jaillit aux Iles Fortunées [100] (celle des Enfers n'est qu'un tout petit ruisseau); j'y mène mes vieilles gens : ils y boivent les longs oublis [101], leurs peines s'y noient et s'y rajeunissent. On croit qu'ils déraisonnent, qu'ils radotent; sans doute, c'est cela même qui est redevenir enfant. Radoter, déraisonner, n'est-ce pas tout le charme de l'enfance ? N'est-il pas un monstre détestable, l'enfant qui raisonne comme un homme fait ? Cet adage l'atteste : « Je hais chez l'enfant la sagesse prématurée [102]... »

Un vieillard qui joindrait à son expérience complète de la vie l'avantage de la force de l'âme et de la pénétration du jugement, qui supporterait de l'avoir pour ami et pour familier ? Laissons plutôt cet âge radoter. Mon vieillard échappe aux maux qui tourmentent le sage. C'est un joyeux vide-bouteille; le dégoût de l'existence ne l'atteint pas, dont peut souffrir un âge plus robuste. Parfois, comme le vieux Plaute, il revient aux trois lettres fameuses [103], ce qui le rendrait très malheureux s'il avait sa raison; mais il est heureux par mes bienfaits, agréable à ses amis et à la société. C'est ainsi que, chez Homère [104], de la bouche de Nestor coulent des paroles plus douces que le miel, tandis que le discours d'Achille déborde d'amertume; et le poète montre encore les vieillards sur les murs de la ville, s'entretenant en paroles fleuries [105]. Par là, ils l'emportent même sur la petite enfance, tout aimable assurément, mais privée du plaisir suprême de la vie, qui est de bavarder.

Ajoutez que les vieillards adorent les enfants et que ceux-ci raffolent d'eux, car qui se ressemble s'assemble [106]. Ils ne diffèrent que par les rides et le nombre des années. Cheveux clairs, bouche sans dents, corps menu, goût du lait, balbutiement, babillage, niaiserie, manque de mémoire, étourderie, tout les rapproche; et plus s'avance la vieillesse, plus s'accentue cette ressemblance, jusqu'à l'heure où l'on sort des jours, incapable à la fois, comme l'enfant, de regretter la vie et de sentir la mort.

XIV. — Qu'on ose à présent comparer mes bienfaits aux métamorphoses dont disposent les autres divinités! Je passe sous silence leurs actes de colère; mais, de leurs meilleurs protégés, que font-elles ? un arbre [107], un oiseau [108], une cigale [109], voire un serpent [110], comme si changer de forme n'équivalait pas à mourir! Moi, c'est le même individu que je restitue au temps de sa vie le meilleur et le plus heureux. Si les mortels se décidaient à rompre avec la Sagesse et vivaient sans cesse avec moi, au lieu de l'ennui de vieillir, ils connaîtraient la jouissance d'être toujours jeunes. Ne voyez-vous pas les gens moroses, en proie à la philosophie ou aux difficultés des affaires, la plupart vieillis avant d'avoir eu leur jeunesse, parce que les soucis, la tension continuelle de la pensée ont progressivement tari en eux le souffle et la sève de la vie ? Mes fols, au contraire, gras et reluisants [111], la peau brillante, vrais porcs d'Acarnanie [112], comme on dit, ne subiraient jamais le moindre inconvénient de l'âge, s'ils se gardaient entièrement de la contagion des sages. Ils y cèdent parfois, les hommes n'étant point parfaits, parce qu'ils oublient l'adage vulgaire qui est ici de poids : « Seule la Folie conserve la jeunesse et met en fuite la vieillesse fâcheuse. »

Comme le peuple a raison de louer les gens du Brabant, que l'âge n'assagit point comme il fait du reste des hommes ! Eux, plus ils en prennent, plus ils restent fous. Aucune population plus facile à vivre et qui s'attriste moins de vieillir. Mes Hollandais voisinent avec eux, d'habitudes comme de frontières. Et pourquoi ne les dirais-je pas miens, ces bons Hollandais qui me révèrent et en ont mérité un sobriquet [113] ? On dit : « fols de Hollande » et, loin d'en rougir, ils s'en vantent.

Allez à présent, sots mortels, demander aux Médée [114], aux Circé [115], aux Vénus, aux Aurore, ou à je ne sais quelle fontaine, de vous rendre votre jouvence. Moi seule en ai le pouvoir. Je détiens le philtre mirifique, grâce auquel la fille de Memnon [116] prolongea celle de son aïeul Tithon. Par la Vénus que je suis, Phaon [117] put rajeunir assez pour rendre Sapho folle de lui. Par mes herbes, puisque herbes il y a, par mes prières, par ma fontaine, la jeunesse enfuie revient et, ce qu'on désire davantage, ne s'en va plus. Si vous êtes tous très persuadés que c'est le bien suprême, et la vieillesse le plus détestable des maux, voyez à quel point je peux vous servir, moi qui ramène l'une et vous délivre de l'autre.

XV. — Mais ne parlons plus des mortels. Parcourez l'ensemble du Ciel; je consens que mon nom soit pris pour injure, si l'on y découvre un seul dieu, de ceux qu'on goûte et qu'on recherche, qui ne soit de ma clientèle. Pourquoi Bacchus est-il toujours le jeune éphèbe aux beaux cheveux ? C'est qu'il vit, ivre et inconscient, parmi les festins, les danses, les chants et les jeux [118], et qu'il n'a pas avec Pallas le moindre commerce. Il tient si peu à passer pour sage, que le culte qui lui agrée n'est que farces et plaisanteries. Il ne s'offense pas de l'adage qui le déclare « plus fou que Morychos [119] ». Ce nom de Morychos vient de la statue à l'entrée de son temple, que les cultivateurs s'égaient à barbouiller [120] de moût et de figues fraîches. Quels coups de boutoir n'a-t-il pas reçus de l'ancienne Comédie [121] ! « Le sot dieu, disait-on, bien digne de naître d'une cuisse [122] ! » Mais qui n'aimerait mieux être ce fou et ce sot, toujours jovial, toujours juvénile, apportant plaisirs et joie à chacun, plutôt qu'un Jupiter peu sûr [123] et redoutable au monde entier, ou le vieux Pan, qui sème partout la déroute [124], ou Vulcain souillé de cendre et sali du travail de sa forge, ou Pallas elle-même, au regard torve [125], qui menace continuellement de sa Gorgone et de sa lance! Cupidon ne cesse pas d'être enfant; pourquoi ? parce qu'étant frivole, il ne s'occupe et ne songe à rien de sensé [126]. Pourquoi la beauté de Vénus dorée est-elle un éternel printemps ? parce qu'elle est de ma famille et porte au visage la couleur de mon père, d'où Homère l'appelle Aphrodite d'or [127]. De plus, elle a toujours le sourire, à en croire les poètes ou les sculpteurs, leurs émules. Quelle divinité enfin fut plus honorée des Romains que Flore, mère de tous les plaisirs [128] ?

Si l'on étudie attentivement dans Homère comment se comportent même les dieux sévères, on trouvera partout maint trait de folie. Connaissez-vous bien, par exemple, les amours et les ébats de ce Jupiter qui gouverne la foudre [129] ? Cette farouche Diane, qui oublie son sexe et ne fait que chasser, dépérit cependant d'amour pour Endymion [130]. Je voudrais que Momus [131] leur fît entendre leurs vérités, ce qui jadis lui arrivait assez souvent; mais ils se sont fâchés et l'ont précipité sur la terre avec Até [132], parce que ses remontrances importunaient la félicité divine. Et l'exilé n'est ici-bas recueilli par personne; il ne le sera surtout point à la cour des princes : ma suivante, la Flatterie, qui y tient la première place, s'accorde avec Momus comme le loup avec l'agneau.

Depuis qu'ils l'ont chassé, les Dieux s'amusent davantage et beaucoup plus librement. Ils mènent la vie facile, comme dit Homère [133], et nul ne les censure plus. Comme il leur prête à rire, le Priape de bois de figuier [134] ! Comme ils se divertissent aux larcins et aux escamotages de Mercure[135]! Vulcain, à leur banquet, devenu l'habituel bouffon, arrive en claudiquant, débite ses malices et ses énormités[136], et toute la table crève de rire. Puis Silène, barbon lascif, leur danse la cordace[137] avec le lourd Polyphème, tandis que le chœur des Nymphes les régale de la gymnopédie[138]. Des Satyres, aux jambes de bouc, leur jouent des farces atellanes[139]. Avec quelque chanson idiote Pan les fait tous pouffer, et ils préfèrent son chant à celui des Muses, surtout à l'heure où le nectar commence à leur monter à la tête. Comment conter ce que font, après le repas, des dieux qui ont bu consciencieusement ? C'est tellement fou que je ne pourrais quelquefois m'empêcher d'en rire. Mais mieux vaut, sur ce point, se taire comme Harpocrate[140], de peur que quelque dieu Corycéen[141] ne nous écoute révéler des choses que Momus[142] lui-même n'a pu dire impunément.

XVI. — Il est temps, à la façon homérique, de quitter les cieux pour revenir sur terre. Vous n'y trouverez ni joie, ni bonheur, si je ne m'en mêle. Voyez d'abord avec quelle prévoyance Dame Nature, génitrice et fabricante de genre humain[143], a bien soin de laisser en tout un grain de folie. D'après les Stoïciens, la Sagesse consiste à se faire guider par la raison, la Folie à suivre la mobilité des passions. Pour que la vie des hommes ne fût pas tout à fait triste et maussade, Jupiter leur a donné beaucoup plus de passions que de raison. En quelles proportions ? C'est l'as comparé à la demi-once[144]. En outre, cette raison, il l'a reléguée dans un coin étroit de la tête, abandonnant aux passions le corps tout entier. Enfin, à la raison isolée, il a opposé la violence de deux tyrans : la Colère, qui tient la citadelle de la poitrine avec la source vitale qu'est le cœur, et la Concupiscence, dont l'empire s'étend largement jusqu'au bas-ventre. Comment la raison se défend-elle contre ces deux puissances réunies ? L'usage commun des hommes le montre assez. Elle ne peut que crier, jusqu'à s'enrouer, les ordres du devoir. Mais c'est un roi qu'ils envoient se faire pendre, en couvrant sa parole d'injures; de guerre lasse, il se tait et s'avoue vaincu.

XVII. — L'homme, cependant, étant né pour gouverner les choses, aurait dû recevoir plus qu'une petite once de raison. Jupiter me consulta sur ce point comme sur les autres, et je lui donnai un conseil digne de moi :

celui d'adjoindre la femme à l'homme. Ce serait en effet, disais-je, un animal délicieux, fol et déraisonnable, mais plaisant en même temps, qui, dans la vie domestique, mêlerait sa folie au sérieux de son partenaire et en atténuerait les inconvénients [145]. Bien entendu, lorsque Platon [146] semble hésiter à classer la femme parmi les êtres doués de raison, il ne veut pas signifier autre chose que l'insigne folie de ce sexe. Qu'une femme, par hasard, ait envie de passer pour sage, elle ne fait que redoubler sa folie. Va-t-on oindre un bœuf pour la palestre [147], et Minerve le permettrait-elle ? N'allons pas contre la nature ; on aggrave son vice à le recouvrir de vertu et à forcer son talent. « Le singe est toujours singe, dit l'adage grec, même sous un habit de pourpre [148]. » Pareillement, la femme a beau mettre un masque, elle reste toujours femme, c'est-à-dire folle.

Les femmes pourraient-elles m'en vouloir de leur attribuer la folie, à moi qui suis femme et la Folie elle-même ? Assurément non. A y regarder de près, c'est ce don de folie qui leur permet d'être à beaucoup d'égards plus heureuses que les hommes. Elles ont sur eux, d'abord l'avantage de la beauté [149], qu'elles mettent très justement au-dessus de tout et qui leur sert à tyranniser les tyrans eux-mêmes. L'homme a les traits rudes, la peau rugueuse, une barbe touffue [150] qui le vieillit, et tout cela signifie la sagesse ; les femmes, avec leurs joues toujours lisses, leur voix toujours douce, leur tendre peau [151], ont pour elles les attributs de l'éternelle jeunesse. D'ailleurs, que cherchent-elles en cette vie, sinon plaire aux hommes le plus possible ? N'est-ce pas la raison de tant de toilettes, de fards, de bains, de coiffures, d'onguents et de parfums, de tout cet art de s'arranger, de se peindre, de se faire le visage, les yeux et le teint ? Et n'est-ce pas la Folie qui leur amène le mieux les hommes ? Ils leur promettent tout, et en échange de quoi ? Du plaisir. Mais elles ne le donnent que par la Folie. C'est de toute évidence, si vous songez aux niaiseries que l'homme conte à la femme, aux sottises qu'il fait pour elle, chaque fois qu'il s'est mis en tête de prendre son plaisir.

Vous savez maintenant quel est le premier, le plus grand agrément de la vie, et d'où il découle.

XVIII. — Il est pourtant des gens, surtout de vieil âge, plus amis de la bouteille que de la femme, qui trouvent le bonheur suprême aux beuveries. Qu'il puisse y avoir sans femmes un repas exquis, d'autres en décideront; j'affirme, moi, qu'il doit être assaisonné de folie. S'il y manque, vraie ou feinte, la folie d'un boute-en-train, on fait venir à table le bouffon payé ou le parasite ridicule, dont les saillies grotesques, folles par conséquent, chasseront le silence et l'ennui. A quoi bon se charger le ventre de tant de mets abondants et friands, si les yeux, les oreilles et l'âme entière ne se repaissent de rires, de plaisanteries et de paroles joviales ? Or, cette partie du service, c'est bien moi qui l'ordonne uniquement. Tous ces usages des festins, tirer le roi au sort [152], jeter les dés, porter des santés, boire et chanter à tour de rôle, se passer le myrte après la chanson [153], et la danse, et la pantomime, ce ne sont pas les Sept Sages de la Grèce qui les ont inventés, c'est moi pour le bonheur du genre humain. Et ce qui les caractérise, c'est que, plus ils contiennent de folie, plus ils enchantent l'existence. Si la vie demeurait triste, elle ne s'appellerait pas la vie, et ce n'est que par de tels moyens qu'elle échappe à la tristesse et à son proche cousin, l'ennui.

XIX. — Certains dédaigneront cette sorte de plaisir et s'attacheront plutôt aux douceurs et aux habitudes de l'amitié. L'amitié, assurent-ils, doit être préférée à tout en ce monde; elle n'est pas moins nécessaire que l'air, le feu ou l'eau; son charme est tel, que l'ôter du milieu des hommes serait leur ravir le soleil; enfin, si cela peut la recommander davantage, les philosophes [154] eux-mêmes n'ont pas craint de l'inscrire parmi les plus grands biens. Je peux prouver que, de ce grand bien, je suis à la fois la poupe et la proue [155]; ma démonstration ne comporte ni syllogisme au crocodile [156], ni sorite cornu [157], ni telle autre argutie de dialectique; le gros bon sens y suffit et vous allez le toucher du doigt.

Voyons un peu. Connivence, méprise, aveuglement, illusion à l'égard des défauts de ses amis, complaisance à prendre les plus saillants pour des qualités et à les admirer comme tels, cela n'est-il pas voisin de la folie ? L'un baise la verrue de sa maîtresse; l'autre hume, en se délectant, un polype au nez de son Agna chérie; un père dit, de son fils qui louche, qu'il a le regard en coulisse [158]. N'est-ce pas de la vraie folie ? Disons-le, répétons-le, c'est bien elle qui unit les amis et les conserve dans l'union.

Je parle ici du commun des mortels, dont aucun ne naît sans défauts et dont le meilleur est celui qui a les moins grands. Mais, parmi ces sortes de dieux qui sont les sages, nulle amitié ne peut se former à moins d'être morose et sans grâce, et encore très peu d'entre eux se lient, pour ne pas dire aucun. Enfin, qui se ressemble, s'assemble, et nous savons que la plupart des hommes sont éloignés de la sagesse et que tous, sans exception, extravaguent de quelque façon. Si parfois une sympathie mutuelle réunit ces esprits austères, elle reste instable, éphémère, entre gens sévères, clairvoyants à l'excès, qui discernent les défauts de leurs amis d'un œil aussi perçant que celui de l'aigle ou du serpent d'Épidaure [159]. Pour leurs propres imperfections, il est vrai, ils ont la vue bien obscurcie, ils ignorent la besace qui leur pend sur le dos [160]. Ainsi, puisque aucun homme n'est exempt de grands défauts, puisqu'il faut compter avec les immenses différences d'âge et d'éducation, avec les chutes, les erreurs, les accidents de la vie mortelle, demandez-vous comment les sages, ces argus perspicaces, pourraient jouir même une heure de l'amitié, si n'intervenait dans leurs cas ce que les Grecs appellent Euétheia, ce que nous pourrions traduire soit par folie, soit par indulgente facilité. Mais, quoi! Cupidon, qui crée et resserre tous les liens, n'est-il pas entièrement aveugle [161] ? De même que ce qui n'est pas beau lui semble l'être [162], n'obtient-il pas que chacun de vous trouve beau ce qui lui appartient, et que le vieux raffole de sa vieille [163] comme l'enfant de sa poupée ? Ces ridicules-là sont courants, et l'on s'en moque; c'est eux pourtant qui rendent la vie agréable et font le lien de la société.

XX. — Ce que je dis de l'amitié s'applique mieux encore au mariage, union contractée pour la vie. Dieux immortels! que de divorces et d'aventures pires que le divorce ne multiplierait pas la vie domestique de l'homme et de la femme, si elle n'avait pour aliments et pour soutiens : la complaisance, le badinage, la faiblesse, l'illusion, la dissimulation, enfin tous mes satellites! Ah! qu'il se conclurait peu de mariages, si l'époux s'informait prudemment des jeux dont la petite vierge, aux façons délicates et pudiques, s'est amusée fort avant les noces! Et plus tard, quel contrat pourrait tenir, si la conduite des femmes ne se dérobait à l'insouciance et à la bêtise des maris! Tout cela s'attribue à la Folie;

c'est par elle que la femme plaît à son mari, le mari à sa femme, que la maison est tranquille et que le lien conjugal ne se dénoue pas. On rit du cocu, du cornard; comment ne l'appelle-t-on pas! Mais lui sèche sous ses baisers les larmes de l'adultère. Heureuse illusion, n'est-ce pas ? et qui vaut mieux que se ronger de jalousie et prendre tout au tragique!

XXI. — Vous voyez que sans moi, jusqu'à présent, aucune société n'a d'agrément, aucune liaison n'a de durée. Le peuple ne supporterait pas longtemps son prince, le valet son maître, la suivante sa maîtresse, l'écolier son précepteur, l'ami son ami, la femme son mari, l'employé son patron, le camarade son camarade, l'hôte son hôte, s'ils ne se maintenaient l'un l'autre dans l'illusion, s'il n'y avait entre eux tromperie réciproque, flatterie, prudente connivence, enfin le lénifiant échange du miel de la Folie.

Cela vous paraît énorme. Écoutez plus fort encore.

XXII. — Dites-moi si l'homme qui se hait soi-même est capable d'aimer autrui, si celui qui se combat soi-même peut s'entendre avec quelqu'un, si celui qui est à charge à soi-même peut être agréable à un autre. Pour le prétendre, il faudrait être plus fou que moi. Eh bien, si l'on me chassait de la société, nul ne pourrait un instant supporter ses semblables, chacun même se prendrait en dégoût et en haine. La Nature, souvent plus marâtre que mère, a semé dans l'esprit des hommes, pour peu qu'ils soient intelligents, le mécontentement de soi et l'admiration d'autrui. Ces dispositions assombrissent l'existence; elle y perd tous ses avantages, ses grâces et son charme. A quoi sert, en effet, la beauté, présent suprême des Immortels, si elle vient à se flétrir ? A quoi bon la jeunesse, si on la laisse corrompre par un ennui sénile ? Dans toutes tes actions, le premier principe que tu dois observer est la bienséance; tu ne t'y tiendras envers toi-même, comme envers les autres, que grâce à cette heureuse Philautie [164], qui me sert de sœur, puisque partout elle collabore avec moi. Mais aussi comment paraître avec grâce, charme et succès, si l'on se sent mécontent de soi ? Supprimez ce sel de la vie, aussitôt l'orateur se refroidit dans son discours, la mélodie du musicien ennuie, le jeu de l'acteur est sifflé, on rit du poète et de ses Muses, le peintre se morfond sur son tableau et le médecin meurt de faim avec ses drogues. Le beau Nirée ressemble à Thersite[165], le jeune Phaon à Nestor[166], Minerve à une truie[167], le brillant parleur s'exprime comme un petit enfant, le citadin comme un rustaud. Tant il est nécessaire que chacun se complaise en soi-même et s'applaudisse le premier pour se faire applaudir des autres!

En fin de compte, si le bonheur consiste essentiellement à vouloir être ce que l'on est[168], ma bonne Philautie le facilite pleinement. Elle fait que personne n'est mécontent de son visage, ni de son esprit, de sa naissance, de son rang, de son éducation, de son pays. Si bien que l'Irlandais ne voudrait pas changer avec l'Italien, le Thrace avec l'Athénien, le Scythe avec l'insulaire des Fortunées. Et quelle prévoyante sollicitude de la Nature, qui fait merveilleusement disparaître tant d'inégalités! A-t-elle, pour quelqu'un, été avare de ses dons ? Elle renforce aussitôt chez lui l'amour-propre, et je viens de m'exprimer fort sottement, puisque ce don-là vaut bien tous les autres.

Je dirai maintenant qu'il n'est point d'action d'éclat que je n'inspire, point de bel art dont je ne sois la créatrice.

XXIII. — N'est-ce pas au champ de la guerre que se moissonnent les exploits ? Or, qu'est-il de plus fou que d'entamer ce genre de lutte pour on ne sait quel motif, alors que chaque parti en retire toujours moins de bien que de mal ? Il y a des hommes qui tombent; comme les gens de Mégare, ils ne comptent pas[169]. Mais, quand s'affrontent les armées bardées de fer, quand éclate le chant rauque des trompettes[170], à quoi seraient bons, je vous prie, ces sages épuisés par l'étude, au sang pauvre et refroidi, qui n'ont que le souffle ? On a besoin alors d'hommes gros et gras, qui réfléchissent peu et aillent de l'avant. Préférerait-on ce Démosthène soldat qui, docile aux conseils d'Archiloque, jeta son bouclier pour fuir[171], dès qu'il aperçut l'ennemi ? Il était aussi lâche au combat que sage à la tribune. On dira bien qu'en guerre l'intelligence joue un très grand rôle. Dans le chef, je l'accorde; encore est-ce l'intelligence d'un soldat, non celle d'un philosophe. La noble guerre est faite par des parasites, des entremetteurs, des larrons, des brigands, des rustres, des imbéciles, des débiteurs insolvables, en somme par le rebut de la société, et nullement par des philosophes veillant sous la lampe.

XXIV. — Ceux-ci n'ont jamais rien su faire dans la vie, témoin Socrate lui-même, le sage par excellence, proclamé tel par l'oracle d'Apollon [172], qui ce jour-là manqua de sagesse. Ayant voulu parler au public sur je ne sais quel sujet, il dut se taire devant la risée générale. Il ne montre de bon sens que lorsqu'il se refuse à prendre ce titre de sage, réservé par lui à Dieu seul, et quand il conseille à ses pareils de ne pas se mêler des affaires publiques [173]. Il eût mieux fait d'enseigner que, pour vivre en homme, il faut s'abstenir de sagesse. Ce qui lui a valu de boire la ciguë, n'est-ce pas précisément l'inculpation de sagesse ? Tandis qu'il philosophait sur des idées et des nuées, mesurait mathématiquement les pattes de la puce, observait le bourdonnement du moucheron [174], il n'a rien compris à l'ordinaire de l'existence.

Et voici Platon, son disciple, prêt à plaider pour le sauver de la mort, excellent avocat en vérité, qu'ahurit le bruit de la foule et qui peut à peine en public débiter la moitié de sa période [175]! Que dire aussi de Théophraste, qui monte à la tribune et tout à coup reste coi [176], comme s'il apercevait le loup [177]! Aurait-il, à la guerre, entraîné des soldats ? Isocrate fut si timide qu'il n'osa même jamais ouvrir la bouche [178]. Marcus Tullius [179], père de l'éloquence romaine, prononçait son exorde avec un tremblement pénible [180], pareil à un sanglot d'enfant. Quintilien [181] y voit la marque de l'orateur sensé, qui se rend compte du péril; il vaudrait mieux avouer franchement que la sagesse nuit au succès. Que feront, l'épée à la main, ces hommes que la peur glace déjà, quand le combat n'est qu'en paroles ?

On vantera après cela, s'il plaît aux Dieux, la maxime fameuse de Platon [182] : « Heureuses les républiques dont les philosophes seraient chefs, ou dont les chefs seraient philosophes! » Si vous consultez l'Histoire, vous verrez, au contraire, que le pire gouvernement fut toujours celui d'un homme frotté de philosophie [183] ou de littérature. L'exemple des deux Caton est, à mon avis, concluant : l'un, par ses dénonciations extravagantes, a mis la République sens dessus dessous [184]; l'autre, en défendant avec trop de sagesse la liberté du peuple romain [185], l'a compromise sans retour. Adjoignez-leur les Brutus, les Cassius, les Gracchus et Cicéron même, qui devint la peste de la république romaine comme Démosthène de celle d'Athènes. Admettons qu'Antonin [186] ait été un bon empereur, bien que je puisse le nier d'après son impopularité née de sa philosophie; mais, s'il fut bon, il causa plus de mal à la chose publique, par le fils qu'il a laissé [187], qu'il n'a pu lui apporter de bien par ses qualités d'administrateur. Comme ce genre d'hommes qui s'adonne à étudier la sagesse joue de malheur en toute chose, et en particulier dans sa progéniture, je pense que la prévoyance de la Nature empêche de se propager outre mesure ce mal de la sagesse. Aussi, le fils de Cicéron fut-il un dégénéré [188], et le sage Socrate eut-il des enfants qui, assure un bon auteur, tinrent de leur mère plus que de lui, c'est-à-dire furent des fous.

XXV. — On supporterait que ces gens-là parussent dans les charges publiques comme des ânes avec une lyre [189], s'ils ne se montraient maladroits dans tous les actes de la vie. Invitez un sage à dîner, il est votre trouble-fête par son morne silence ou des dissertations assommantes. Conviez-le à danser, vous diriez que c'est un chameau qui se trémousse [190]. Entraînez-le au spectacle, son visage suffira à glacer le public qui s'amuse, et on l'obligera à sortir de la salle, comme on fit au sage Caton pour n'avoir pu quitter son air renfrogné [191].

Survient-il dans une causerie, c'est l'arrivée du loup de la fable [192]. S'agit-il pour lui de conclure un achat, un contrat ou tel de ces actes qu'exige la vie quotidienne, ce n'est pas un homme, mais une bûche. Il ne rendra service ni à lui-même, ni à sa patrie, ni à ses amis, parce qu'il ignore tout des choses ordinaires et que l'opinion et les usages courants lui sont absolument étrangers. Cette séparation totale des autres esprits engendre contre lui la haine. Tout, en effet, chez les hommes, ne se fait-il pas selon la Folie, par des fous, chez des fous ? Celui qui va contre le sentiment général n'a qu'à imiter Timon [193] et à gagner le désert pour y jouir solitairement de sa sagesse.

XXVI. — Je reviens à mon sujet. Ces êtres sauvages, qui semblent nés des rochers ou des chênes [194], on n'est parvenu à les réunir dans des cités qu'en les amadouant. Telle est la signification de la lyre d'Amphion et d'Orphée [195]. La plèbe romaine soulevée, prête aux extrêmes violences, qui l'a ramenée à la concorde ? Est-ce un discours de philosophe ? Nullement; c'est l'apologue risible et puéril des membres et de l'estomac [196]. Thémistocle eut le même succès avec un apologue semblable, du renard et du hérisson [197]. Quelle parole de sage aurait produit l'effet de la biche imaginée par Sertorius [198], des deux chiens de Lycurgue [199] et le plaisant propos sur la manière d'épiler la queue d'un cheval [200] ? Je ne parle pas de Minos [201], ni de Numa [202], qui tous deux gouvernèrent la folle multitude avec des fictions fabuleuses. C'est par ces niaiseries-là qu'on mène cette énorme et puissante bête [203] qu'est le peuple.

XXVII. — Connaît-on une seule république qui se soit gouvernée par les lois de Platon ou d'Aristote, ou les enseignements de Socrate ? Qui a décidé Décius [204] à se dévouer librement aux dieux Mânes ? Qui a entraîné Curtius [205] vers le gouffre ? Rien autre que la vaine gloire, une sirène fort persuasive que les sages accablent de leur anathème : « Quoi de plus insensé, disent-ils, que de flatter le peuple pour une candidature, d'acheter ses suffrages, de pourchasser l'applaudissement de tant de fous, de se complaire à être acclamé, de se faire porter en triomphe comme une idole ou de se voir en statue d'airain sur le forum [206] ? Ajoutez-y l'ostentation des noms et prénoms, les honneurs divins rendus à un pauvre être humain, les cérémonies publiques où sont mis au rang des Dieux les tyrans les plus exécrables [207]. Ce sont là de telles folies qu'un seul Démocrite ne suffirait pas à s'en moquer. » C'est entendu; mais de ces folies sont nés les hauts faits des héros que tant de pages brillantes portent aux nues; elles engendrent les cités, maintiennent les empires, les magistratures, la religion, les desseins et les jugements des hommes. La vie entière du héros n'est qu'un jeu de la Folie.

XXVIII. — Parlons à présent des métiers. Comment les esprits ont-ils conçu et transmis tant de connaissances qui passent pour excellentes, sinon par soif de la gloire ? C'est à force de veilles et de sueurs que des hommes, en vérité extrêmement fous, ont cru acheter cette renommée qui est bien la plus vaine des choses. Vous n'en devez pas moins à la Folie toutes les précieuses commodités de l'existence par lesquelles, ce qui est infiniment agréable, vous tirez parti de la folie d'autrui.

XXIX. — A présent que j'ai réussi à m'attribuer les effets du courage et du labeur de l'humanité, ne vais-je pas revendiquer aussi les mérites du bon sens ? Comment! dira quelqu'un, autant vaut marier l'eau et le feu [208]. Je compte pourtant vous convaincre pour peu que vous m'accordiez la même attention et me gardiez l'esprit et l'oreille.

Puisque le bon sens tient à l'expérience, l'honneur en doit-il revenir au sage qui n'entreprend rien, tant par modestie que par timidité de caractère, ou au fou qui est exempt de modestie et ne saurait être timide, puisque le danger n'est pas connu de lui ? Le sage se réfugie dans les livres des Anciens et n'y apprend que de froides abstractions; le fou, en abordant les réalités et les périls, acquiert à mon avis le vrai bon sens. Homère l'a bien vu, malgré sa cécité, lorsqu'il a dit : « Le fou s'instruit à mes dépens [209]. » Deux obstacles principaux empêchent de réussir aux affaires : l'hésitation, qui trouble la clarté de l'esprit, et la crainte, qui montre le péril et détourne d'agir. La Folie en débarrasse à merveille; mais peu de gens comprennent l'immense avantage qu'il y a à ne jamais hésiter et à tout oser.

Si l'expérience équivaut à l'exacte appréciation des réalités, écoutez combien s'en éloignent ceux qui précisément s'en réclament. Il est constant tout d'abord que toutes choses humaines ont, comme les Silènes d'Alcibiade [210], deux faces fort dissemblables. La face extérieure marque la mort; regardez à l'intérieur, il y a la vie, ou inversement. La beauté recouvre la laideur; la richesse, l'indigence; l'infamie, la gloire; le savoir, l'ignorance. Ce qui semble robustesse est débilité; ce qui semble de bonne race est vil. La joie dissimule le chagrin; la prospérité, le malheur; l'amitié, la haine; le remède, le poison. En somme, ouvrez le Silène, vous rencontrerez le contraire de ce qu'il montre.

Trouvez-vous cela trop philosophique ? je vais parler plus terre à terre. Tout le monde voit dans un roi un être riche et puissant. Cependant, s'il n'a aucune qualité spirituelle, rien ne lui appartient; il est même infiniment pauvre et, si ses vices sont nombreux, il n'est qu'un vil esclave. On pourrait étendre le raisonnement, mais il suffit d'avoir pris cet exemple. Que voulez-vous prouver ? me dit-on. Voici où j'en veux venir. Des acteurs sont en scène et jouent leur rôle; quelqu'un essaie d'arracher leur masque pour montrer aux spectateurs leur visage naturel; ne va-t-il pas troubler toute la pièce, et ce furieux ne mérite-t-il pas d'être chassé du théâtre ? Son acte vient de changer toutes les apparences : la femme de la scène soudain apparaît un homme, le jouvenceau, un vieillard; on voit que le roi est un Dama [211], et le dieu, un petit bonhomme. L'illusion ôtée, toute l'œuvre est bouleversée; ce travesti, ce fard étaient cela même qui charmait les yeux. Il en va ainsi de la vie. Qu'est-ce autre chose qu'une pièce de théâtre, où chacun, sous le masque, fait son personnage jusqu'à ce que le chorège le renvoie de la scène ? Celui-ci, d'ailleurs, confie au même acteur des rôles fort divers, et tel qui revêtait la pourpre du roi reparaît sous les loques de l'esclave. Il n'y a partout que du travesti, et la comédie de la vie ne se joue pas différemment.

Imaginons qu'un sage nous tombe du ciel et nous tienne ce langage : « Cet individu que tous révèrent comme un souverain et comme un dieu, n'est pas même un homme, puisqu'il est, comme l'animal, gouverné par les sensations; c'est le plus vil des esclaves, puisqu'il obéit spontanément à tant de maîtres aussi honteux. Ce fils en deuil, qui pleure son père, devrait se réjouir, puisque le défunt a commencé de vivre véritablement, la vie terrestre n'étant qu'une sorte de mort. Cet autre, qui tire honneur de ses armoiries, n'est en fait qu'un vilain et un bâtard, parce qu'il reste étranger à la vertu, d'où sort toute vraie noblesse. » Si ce sage parlait ainsi de chacun, qu'arriverait-il de lui ? Tout le monde le prendrait pour un fou furieux. Comme il est d'une suprême sottise d'exprimer une vérité intempestive, il est de la dernière maladresse d'être sage à contretemps. Il agit à contretemps celui qui ne sait s'accommoder des choses telles qu'elles sont, qui n'obéit pas aux usages, qui oublie cette loi des banquets : « Bois ou va-t'en [212] ! » et qui demande que la comédie ne soit pas une comédie. Tu montreras du vrai bon sens, toi qui n'es qu'un homme, en ne cherchant pas à en savoir plus que les hommes, en te pliant de bon gré à l'avis de la multitude ou en te trompant complaisamment avec elle. « Mais, dira-t-on, c'est proprement de la folie ! » Je ne contredis pas, pourvu qu'on m'accorde en retour qu'ainsi se joue la comédie de la vie.

XXX. — A présent, Dieux immortels ! dois-je continuer ou me taire ? Mais pourquoi taire ce qui est plus vrai que la vérité ? Peut-être conviendrait-il, dans une question aussi grave, d'appeler les Muses de l'Hélicon [213]; elles sont invoquées par les poètes le plus souvent pour de pures bagatelles. Approchez donc un peu, filles de Jupiter! je vais démontrer qu'à cette Sagesse parfaite, qu'on dit la citadelle de la félicité, il n'est d'accès que par la Folie.

Il est acquis, n'est-ce pas ? que toutes les passions dépendent d'elle. Ce qui distingue le fou du sage, c'est que le premier est guidé par les passions, le second par la raison; aussi les Stoïciens [214] écartent-ils de celui-ci toutes les passions, tenues pour des maladies. Il en est cependant qui servent aux pilotes experts, pour gagner le port; bien plus, aux sentiers de la vertu, elles éperonnent, aiguillonnent vers le bien. Sénèque va protester, doublement stoïcien, qui défend au sage toute espèce de passion. Mais, ce faisant, il supprime l'homme même; il fabrique un démiurge [215], un nouveau dieu, qui n'existe nulle part et jamais n'existera; disons mieux, il modèle une statue de marbre, privée d'intelligence et de tout sentiment humain.

Laissons-les donc jouir de leur sage tout à leur aise, l'aimer sans qu'on le leur dispute et choisir, pour habiter avec lui, la République de Platon [216], la région des Idées ou les jardins de Tantale [217]. Qui ne fuirait avec horreur, comme un monstre, comme un spectre, un homme de cette espèce, fermé à tous les sentiments naturels, incapable d'une émotion, étranger à l'amour et même à la pitié, « comme la pierre dure ou le roc Marpésien [218] », être à qui rien n'échappe et qui jamais ne se trompe, qui voit tout comme un Lyncée [219] et mesure tout au cordeau, qui n'excuse aucune faute, n'est content que de soi, possède seul richesse et santé, est seul roi et seul libre, se déclare unique en tout [220], n'ayant pas besoin d'ami et n'étant l'ami de personne, méprisant même envers les Dieux, ne trouvant pour les actes humains, qu'il juge tous insensés, que blâme et raillerie! L'animal que voilà répond à la perfection du sage.

Voyons, si l'on allait aux voix, quelle ville élirait un magistrat ainsi fait, quelle armée voudrait d'un tel chef ? Bien plus, quelle femme souhaiterait un tel mari, quel hôte accepterait un tel convive et quel valet endurerait un maître de cet acabit ? Qui n'aimerait mieux prendre au hasard, dans la masse des fous les plus qualifiés, un qui fût capable de leur commander ou de leur obéir, qui sût plaire à ses semblables, c'est-à-dire au plus grand nombre, qui fût aimable avec sa femme, gracieux pour ses amis, belle fourchette à table, compagnon facile à vivre, un homme enfin à qui rien d'humain ne fût étranger ?

Mais j'en ai assez, depuis longtemps, du sage en question. Passons à des sujets moins ennuyeux.

XXXI. — Je suppose que quelqu'un regarde de haut la vie de l'homme, comme le Jupiter des poètes [221] le fait quelquefois, et observe la quantité de maux qui fondent sur lui, sa naissance humiliée, son éducation difficile, les dangers autour de son enfance, les durs labeurs imposés à sa jeunesse, sa vieillesse pénible, et la dure nécessité de la mort, après tant de maladies, d'incommodités qui l'assaillent de tous côtés, qui empoisonnent son existence entière. Ne parlons pas du mal que l'homme fait à l'homme : il le ruine, l'emprisonne, le déshonore, le torture, lui tend des pièges, le trahit; tout énumérer, avec les outrages, les procès, les escroqueries, ce serait compter des grains de sable.

Je n'ai pas à vous dire quels méfaits ont valu aux hommes un tel sort, ni quel Dieu irrité les a condamnés à naître pour ces misères. Qui voudra y bien réfléchir approuvera l'exemple des filles de Milet [222] et leur suicide pourtant bien douloureux. Mais quels sont donc ceux qui se sont tués par dégoût de vivre ? Des familiers de la Sagesse. Passe pour les Diogène [223], les Xénocrate [224], les Caton [225], les Cassius [226] et les Brutus [227]; mais voyez Chiron [228] choisir la mort à l'heure où il peut obtenir l'immortalité. Vous sentez, je pense, ce qui se produirait, si partout les hommes étaient sages; il faudrait qu'un autre Prométhée en pétrît d'une nouvelle argile. Moi, tout au contraire, aidée de l'Ignorance autant que de l'Étourderie, en leur faisant oublier leur misère, espérer le bonheur, goûter quelquefois le miel des plaisirs, je les soulage si bien de leurs maux qu'ils quittent la vie avec regret, même alors que la Parque a filé toute leur trame et que la vie elle-même les abandonne.

La vie ne les ennuie nullement. Moins ils ont de motifs d'y tenir, plus ils s'y cramponnent. Ce sont mes clients, ces vieux qui ont atteint l'âge de Nestor [229] et perdu toute forme humaine, et qu'on voit balbutiant, radotant, les dents cassées, le cheveu blanchi ou absent, ou, pour les mieux peindre avec les mots d'Aristophane[230], malpropres, voûtés, ridés, chauves et édentés, sans menton, s'acharner à goûter la vie. Aussi se rajeunissent-ils[231], l'un en teignant ses cheveux, l'autre en portant perruque, celui-ci par des fausses dents peut-être prises à un cochon, celui-ci en s'amourachant d'une pucelle et en faisant pour elle plus de folies qu'un tout jeune homme. Tel moribond, près de rejoindre les ombres, épouse sans dot un jeune tendron, qui fera l'affaire des voisins; le cas est fréquent et, ma foi, l'on s'en fait gloire. Mais le plus charmant est de voir des vieilles, si vieilles, si cadavéreuses qu'on les croirait de retour des Enfers, répéter constamment : « La vie est belle! » Elles sont chaudes comme des chiennes ou, comme disent volontiers les Grecs, sentent le bouc[232]. Elles séduisent à prix d'or quelque jeune Phaon, se fardent sans relâche, ont toujours le miroir à la main, s'épilent à l'endroit secret[233], étalent des mamelles flasques et flétries[234], sollicitent d'une plainte chevrotante un désir qui languit[235], veulent boire, danser parmi les jeunes filles, écrire des billets doux. Chacun se moque et les dit ce qu'elles sont, archifolles. En attendant, elles sont contentes d'elles, se repaissent de mille délices, goûtent toutes les douceurs et, par moi, sont heureuses.

Je prie ceux qui les trouvent ridicules, d'examiner s'il ne vaut pas mieux couler sa douce vie en cette folie que de chercher, comme on dit, la poutre pour se pendre[236]. Bien entendu, le déshonneur qu'on attache à la conduite de mes fous ne compte pas pour eux; ils ne le sentent même pas, ou n'y font guère attention. Recevoir une pierre sur la tête, c'est un mal qui existe; la honte, l'infamie, l'opprobre, l'insulte, ne sont des maux qu'autant qu'on les sent. Il n'y a point de mal quand on ne sent rien. Le peuple entier te siffle; ce n'est rien, si tu t'applaudis[237], et seule la Folie t'y autorise.

XXXII. — Je crois entendre ici les philosophes réclamer : « C'est précisément fort malheureux qu'on soit tenu ainsi par la Folie dans l'illusion, l'erreur et l'ignorance. » Mais non, c'est être homme, tout simplement. Je ne vois pas pourquoi ils appellent un malheur d'être né tel, d'être élevé et formé selon la condition commune. Il n'y a rien de malheureux à être ce qu'on est, à moins qu'un homme ne se juge à plaindre de ne pouvoir voler comme les oiseaux, marcher à quatre pattes comme le reste des animaux, ou être armé de cornes comme le taureau. Dirait-on malheureux un très beau cheval, parce qu'il ne sait pas la grammaire et ne mange pas de gâteaux, ou un taureau parce qu'il ne peut pas faire de la gymnastique ? De même que son ignorance grammaticale ne saurait rendre malheureux le cheval, la Folie ne fait point le malheur de l'homme, puisqu'elle est conforme à sa nature.

Nos ingénieux contradicteurs viennent nous dire que la connaissance des Sciences est donnée à l'homme pour que son intelligence compense ce que lui refuse la Nature. Comme s'il était vraisemblable que la Nature, si vigilante pour les moucherons et même pour les plantes et les fleurs, sommeillât seulement pour l'homme, en lui imposant de recourir aux Sciences inventées à son dam par Theuth [238], l'ennemi du genre humain! Elles sont, en effet, si peu utiles au bonheur qu'elles ne servent même pas à réaliser le bien qu'on attend de chacune d'elles, comme le prouve élégamment dans Platon un roi fort sensé [239], à propos de l'invention de l'écriture. Les Sciences ont fait irruption dans l'humanité avec le reste de ses fléaux; elles proviennent des auteurs de toutes les mauvaises actions, c'est-à-dire des démons, dont le nom même, en grec, signifie qu'ils sont savants [240].

D'aucune science n'était pourvue la race simple de l'âge d'or; seul la guidait l'instinct de la Nature. Quel besoin avait-on de la grammaire, puisque la langue alors était la même pour tous et que la parole ne servait à rien d'autre qu'à se faire comprendre ? Quel besoin de la dialectique, puisque aucun combat ne se livrait entre opinions rivales ? Que faire de la rhétorique, puisqu'il n'y avait point de procès ? Quel usage de la jurisprudence, alors que n'avaient pas commencé les mauvaises mœurs, d'où sont nées sans nul doute les bonnes lois [241] ? Les hommes étaient trop religieux pour porter une curiosité impie aux mystères de la Nature, mesurer les astres, leurs mouvements, leurs influences, scruter le secret mécanisme du monde. Ils croyaient criminel qu'on cherchât à en savoir plus long qu'un simple mortel. C'était démence que regarder au-delà du ciel et la pensée n'en venait à personne. Mais, à mesure que diminua cette pureté de l'âge d'or, les mauvais génies dont j'ai parlé inventèrent les Sciences. Elles furent d'abord peu nombreuses avec peu d'initiés. Plus tard, la superstition des Chaldéens et la vaine frivolité des Grecs les surchargèrent de tortures sans nombre pour l'intelligence, au point que la grammaire seule peut faire le supplice de toute une vie.

XXXIII. — Parmi les Sciences, au reste, celles qu'on met au pinacle sont le plus voisines du sens commun, c'est-à-dire de la Folie. Les théologiens ont faim, les physiciens ont froid, on ridiculise les astrologues, on néglige les dialecticiens. « Mais le médecin, à lui seul, vaut bien des hommes [242] »; et dans cette profession, le plus ignorant, le plus aventureux, le plus étourdi est aussi le plus couru, même chez les grands. C'est que la médecine ordinaire aujourd'hui n'est qu'une forme de la flatterie [243], non moins que la rhétorique. Après les médecins, le haut du pavé est aux gens de loi, et peut-être même marchent-ils les premiers. A en croire l'unanimité des philosophes, leur profession n'est qu'une ânerie; cependant, ces ânes ont en main les plus grandes comme les plus petites affaires. Leurs vastes domaines s'arrondissent, pendant que le théologien, qui a dépouillé toutes les paperasses divines, grignote du lupin et pourchasse sans trêve les punaises et les poux. La faveur va donc aux Sciences qui se rapprochent le plus de la Folie; de même, les hommes les plus heureux sont ceux qui ont pu s'enfuir le plus loin des Sciences et prendre pour maître la seule Nature. Elle n'est en défaut nulle part, à moins qu'on ne veuille sortir des limites de la condition mortelle.

La Nature hait l'artifice et rien ne vaut ce qu'il n'a pas profané.

XXXIV. — Ne croyez-vous pas, dans tout le reste des espèces animales, que celles qui vivent le mieux sont les moins éduquées, celles qui n'ont pour les instruire que la Nature ? Qu'y a-t-il de plus heureux et de plus admirable que les abeilles [244] ? Pourtant, elles ne possèdent pas tous les sens. L'architecture découvrira-t-elle des moyens de construire égaux aux leurs ? Un philosophe a-t-il jamais institué une république semblable ? Le cheval, au contraire, qui a les mêmes sens que les hommes et vit en leur compagnie, participe à leurs misères. Ne supportant point d'être dépassé à la course, il s'exténue et, s'obstinant à vaincre dans la bataille, il est percé de coups et mord la poussière avec son cavalier [245]. Je passe sous silence le mors très rude, les éperons aigus, la captivité de l'écurie, le fouet, le bâton, les brides, le cavalier, enfin tout ce drame d'une servitude qu'il accepte volontairement, lorsque d'un courage tout humain il se donne entièrement à sa vengeance.

Combien est préférable l'existence des mouches et des oiseaux, livrés au hasard et à l'instinct naturel autant que le permet l'embûche des hommes! Mis en cage par eux et instruits à imiter leur voix, les oiseaux perdent étrangement de leur beauté native. Tant l'emportent sur les défigurations de l'Art les ouvrages de la Nature! Aussi ne louerai-je jamais assez ce coq qui faisait le Pythagore en ses métamorphoses [246]. Ayant été tout : philosophe, homme, femme, roi, particulier, poisson, cheval, grenouille, et je crois même éponge, il jugeait que l'homme était le plus calamiteux des animaux, parce que tous acceptent de vivre dans les limites de leur nature, tandis que seul il s'efforce de les franchir.

XXXV. — Encore préférait-il, à beaucoup d'égards, parmi les hommes, les ignorants aux savants et aux puissants. Gryllus [247] encore fut bien plus sensé qu'Ulysse fécond en conseils [248], quand il aima mieux grogner dans une étable, plutôt que d'affronter avec lui tant de périls. Tel me paraît être l'avis d'Homère, père des fables, qui appelle tous les mortels infortunés et calamiteux [249], et donne fréquemment à Ulysse, son modèle de sagesse, l'épithète de gémissant [250], dont il n'use jamais pour Pâris, Ajax ou Achille. Quelle en est la raison ? C'est que le héros adroit et artificieux ne faisait rien sans le conseil de Pallas, et que sa sagesse excessive le détournait absolument de celui de la Nature.

Les vivants qui obéissent à la Sagesse sont de beaucoup les moins heureux. Par une double démence, oubliant qu'ils sont nés hommes, ils veulent s'élever à l'état des Dieux souverains et, à l'exemple des Géants, munis des armes de la science, ils déclarent la guerre à la Nature [251]. A l'inverse, les moins malheureux sont ceux qui se rapprochent le plus de l'animalité et de la stupidité.

Essayons de le faire comprendre, non par des enthymèmes [252] stoïciens, mais par un exemple grossier. Y a-t-il, par les Dieux immortels! espèce plus heureuse que ces gens qu'on traite vulgairement de toqués, de timbrés ou d'innocents, de très beaux surnoms à mon avis ? L'assertion paraît d'abord insensée, absurde; elle est pourtant d'une vérité certaine. Ces gens-là n'ont point la crainte de la mort, et, par Jupiter! ce n'est pas peu de chose! Leur conscience n'est point bourrelée. Les histoires de revenants ne leur causent aucune épouvante. Chez eux, nulle peur d'apparitions et de fantômes, nulle inquiétude des maux à craindre, nulle espérance exagérée des biens à venir. Rien, en somme, ne les tourmente de ces mille soucis dont la vie est faite. Ils ignorent la honte, la crainte, l'ambition, l'envie, l'amour, et même, s'ils parviennent à l'inconscience de la brute, les théologiens assurent qu'ils sont sans péché.

Repasse maintenant avec moi, sage plein d'insanité, tant de nuits et de jours où l'inquiétude crucifie ton âme; entasse devant toi tous les ennuis de ta vie, et tâche de comprendre enfin de combien de maux j'exempte mes fous. Ajoutez que, non seulement ils passent leur temps en réjouissances, badinages, rires et chansons, mais qu'ils mènent partout où ils vont le plaisir, le jeu, l'amusement et la gaieté, comme si l'indulgence des Dieux les avait destinés à égayer la tristesse de la vie humaine. Aussi, quelles que soient les dispositions des gens envers leurs semblables, ceux-ci sont toujours reconnus pour des amis; on les recherche, on les régale, on les caresse, on les choie, on les secourt au besoin, on leur permet de tout dire et de tout faire. Personne ne voudrait leur nuire, et les bêtes sauvages elles-mêmes évitent de leur faire du mal, les sentant d'instinct inoffensifs. Ils sont, en effet, sous la protection des Dieux, spécialement sous la mienne, et entourés à bon droit du respect universel.

XXXVI. — Les plus grands rois les goûtent si fort [253] que plus d'un, sans eux, ne saurait se mettre à table ou faire un pas, ni se passer d'eux pendant une heure. Ils prisent leurs fous bien plus que les sages austères, qu'ils ont l'habitude d'entretenir par ostentation. Cette préférence s'explique aisément et n'étonne point, quand on voit ces sages n'apporter aux princes que tristesse. Pleins de leur savoir, ils ne craignent pas de blesser par des vérités ces oreilles délicates [254]. Les bouffons, eux, procurent ce que les princes recherchent partout et à tout prix : l'amusement, le sourire, l'éclat de rire, le plaisir. Accordez aussi aux fous une qualité qui n'est pas à dédaigner : seuls, ils sont francs et véridiques. Et quoi de plus louable que la vérité ? Bien qu'un proverbe d'Alcibiade, chez Platon [255], la mette dans le vin et dans la bouche de l'enfance, c'est à moi qu'en doit revenir tout le mérite. Euripide le reconnaît par ce mot fameux : « Le fou débite des folies [256]. » Tout ce que le fou a dans le cœur, il le montre sur son visage, l'exprime dans son discours ; les sages, au contraire, ont deux langues, que mentionne le même Euripide [257] : l'une pour dire la vérité, l'autre pour dire ce qui est opportun. Ils savent « changer le noir en blanc [258] », souffler de la même bouche le froid et le chaud [259], éviter de mettre d'accord leurs sentiments et leurs paroles.

Les princes, dans leur félicité, me paraissent fort à plaindre d'être privés d'entendre la vérité, et forcés d'écouter des flatteurs et non des amis. On me dira que les oreilles princières ont précisément horreur de la vérité et que, si elles fuient les sages, c'est par crainte d'ouïr parmi eux une voix plus sincère que complaisante. Je le reconnais, la vérité n'est pas aimée des rois. Et pourtant, mes fous réussissent cette chose étonnante de la leur faire accepter, et même de leur causer du plaisir en les injuriant ouvertement. Le même mot, qui, dans la bouche d'un sage, lui vaudra la mort, prononcé par un fou réjouira prodigieusement le maître. C'est donc que la vérité a bien quelque pouvoir de plaire, si elle ne contient rien d'offensant, mais les Dieux l'ont réservée aux fous. C'est pourquoi cette espèce d'hommes plaît tellement aux femmes, lesquelles sont par nature voluptueuses et frivoles. Quoi qu'ils tentent sur elles, même de tout à fait sérieux, elles le prennent pour jeu et plaisanterie, tant ce sexe est ingénieux, surtout à voiler ses peccadilles.

XXXVII. — Revenons à l'heureux sort des fous. Ayant passé leur vie allégrement, sans craindre ni pressentir la mort, ils émigrent tout droit vers les Champs Élyséens, et vont y divertir par leurs facéties les âmes pieuses et oisives. Comparez à présent, à cette destinée du fou, celle d'un homme sage à votre choix. Prenez un parangon de sagesse, celui qui a consumé dans l'étude des sciences son enfance et sa jeunesse, et perdu son plus bel âge en veilles, soucis, labeurs sans fin, et, le reste de sa vie, s'est privé du moindre plaisir ; il fut toujours parcimonieux, gêné, morne, assombri, sévère et dur pour soi-même, assommant et insupportable pour autrui, pâle, maigre, valétudinaire, chassieux, usé de vieillesse, chauve avant l'âge, voué à une mort prématurée. Qu'importe, au reste, qu'il meure, puisqu'il n'a jamais vécu! Vous avez là le joli portrait du sage.

XXXVIII. — Mais j'entends coasser derechef les stoïciennes grenouilles : « La démence, disent-elles, est le pire des maux; or, l'insigne folie touche à la démence ou plutôt se confond avec elle, puisqu'un dément est un esprit qui ne raisonne pas. » Mais les grenouilles se trompent absolument. Les Muses vont m'aider à anéantir leur syllogisme, tout spécieux qu'il soit. Socrate enseigne, dans Platon [260], à faire par division deux Vénus d'une seule Vénus, et de même deux Cupidons d'un seul; nos dialecticiens devraient en faire autant et distinguer deux sortes de démence, pour se montrer eux-mêmes sensés. En effet, toute démence n'est pas nuisible par définition. Autrement Horace n'eût pas dit : « Suis-je le jouet d'un aimable délire [261] ? » Platon [262] n'eût pas compté la fureur poétique, celle des devins, et aussi l'exaltation des amoureux, parmi les grands bienfaits de ce monde; la Sibylle n'eût pas qualifié d'insensée l'entreprise d'Enée [263]. C'est donc bien qu'il y a deux espèces de démence.

Il en est une que les Furies déchaînent des Enfers, toutes les fois qu'elles lancent leurs serpents et jettent au cœur des mortels l'ardeur de la guerre, la soif inextinguible de l'or, l'amour déshonorant et coupable, le parricide, l'inceste, le sacrilège, et tout le reste, ou lorsqu'elles poursuivent de leurs torches terrifiantes les consciences criminelles. L'autre démence n'a rien de semblable; elle émane de moi et c'est la plus souhaitable chose. Elle naît chaque fois qu'une douce illusion libère l'âme de ses pénibles soucis, et la rend aux diverses formes de la volupté. Cette illusion, Cicéron écrit à Atticus [264] qu'il la désire comme un don suprême des Dieux, afin d'y trouver l'oubli de tous ses malheurs. Approuvons cet homme d'Argos qui fut assez fou pour passer des journées entières seul au théâtre à rire, applaudir et se gaudir, croyant voir jouer les plus belles pièces, alors qu'on ne jouait rien du tout. Dans le reste de la vie, il se conduisait à merveille : « *Ses amis, dit Horace* [265], *le trouvaient obligeant, sa femme, délicieux, ses serviteurs, indulgent, et il ne se mettait pas en fureur pour une bouteille décachetée.* » Les soins de sa famille et les remèdes le guérirent; il revint en possession de lui-même et s'en plaignait en ces termes : « *Par Pollux ! vous m'avez tué, ô mes amis! Vous ne m'avez nullement sauvé, en m'arrachant ma joie, en me forçant à quitter la charmante illusion de mon esprit* [266]. » Il disait bien, et plus que lui auraient eu besoin d'ellébore les gens qui avaient réussi à droguer, comme une maladie, cette folie si heureuse et si bienfaisante.

Je n'appelle pas démence, notez-le bien, toute aberration des sens ou de l'esprit. Un qui a la berlue prend un âne pour un mulet [267], comme un autre s'extasie sur un mauvais poème; on n'est pas fou pour cela. Mais si, outre les sens, le jugement s'y trompe, et surtout avec excès et continuité, on peut reconnaître la démence; c'est le cas de l'homme qui, chaque fois que l'âne brait, jouit d'une symphonie, ou du pauvre diable, d'infime condition, qui se figure être Crésus, roi de Lydie [268]. Assez souvent, cette espèce de folie est agréable, tant à ceux qui l'éprouvent qu'à ceux qui en sont témoins et sont fous d'une autre façon. Elle est beaucoup plus fréquente qu'on ne le croit dans le public. A tour de rôle, le fou se moque du fou, et ils s'amusent l'un de l'autre. L'on voit même assez souvent que c'est le plus fou des deux qui rit le plus fort.

XXXIX. — Mon avis, à moi, Folie, est que plus on est fou, plus on est heureux, pourvu qu'on s'en tienne au genre de folie qui est mon domaine, domaine bien vaste à la vérité, puisqu'il n'y a sans doute pas, dans l'espèce humaine, un seul individu sage à toute heure [269] et dépourvu de toute espèce de folie. Il n'existe ici qu'une différence : l'homme qui prend une citrouille pour une femme est traité de fou, parce qu'une telle erreur est commise par peu de gens; mais celui dont la femme a de nombreux amants et qui, plein d'orgueil, croit et déclare qu'elle surpasse la fidélité de Pénélope, celui-là personne ne l'appellera fou, parce que cet état d'esprit est commun à beaucoup de maris.

Rangeons parmi ces illusionnés les chasseurs forcenés, dont l'âme n'est vraiment heureuse qu'aux sons affreux du cor et dans l'aboiement des chiens. Je gage que l'excrément des chiens pour eux sent la cannelle. Et quelle ivresse à dépecer la bête! Dépecer taureaux et béliers, c'est affaire au manant; au gentilhomme de tailler dans la bête fauve. Le voici, tête nue, à genoux, avec le coutelas spécial qu'aucun autre ne peut remplacer; il fait certains gestes, dans un certain ordre, pour découper certains membres suivant le rite. Autour de lui, la foule, bouche bée, admire toujours comme un spectacle nouveau ce qu'elle a vu déjà plus de mille fois, et l'heureux mortel admis à goûter de l'animal n'en tire pas mince honneur. A force de poursuivre les bêtes fauves et de s'en nourrir, les chasseurs finissent par leur ressembler; ils n'en croient pas moins mener la vie des rois.

Fort semblables sont les gens qui ont la manie de la pierre, qui changent un jour les bâtiments ronds en bâtiments carrés, un autre jour, les carrés en ronds [270]. Aucune mesure, aucun terme à ces travaux, qui finissent par les ruiner complètement. Ils n'ont plus le moyen de se loger ni de se nourrir. Qu'importe! ils ont passé quelques années parfaitement heureux.

Je vois auprès d'eux ceux qui, par des pratiques nouvelles et mystérieuses, travaillent à changer la nature des éléments et en recherchent un cinquième, la quintessence, à travers la terre et les mers. Se nourrissant d'un doux espoir, ils n'épargnent jamais l'effort ni la dépense. Ils ont toujours à l'esprit quelque imagination merveilleuse qui les égare, et l'illusion leur en est si chère qu'ils y perdent tout leur bien et n'ont plus de quoi construire un dernier fourneau. Loin d'abandonner pour cela leurs rêveries enchantées, ils poussent les autres de leur mieux vers une félicité pareille. Lorsque enfin la dernière espérance les quitte, il leur suffit, pour être consolés, de cette belle parole : « Dans les grandes choses, c'est assez d'avoir voulu [271]. » Ils s'en prennent alors à la brièveté de leur vie, qui n'a pas permis d'accomplir leur vaste dessein.

Les joueurs doivent-ils être admis dans notre collège ? j'en doute un peu. Il n'y a pourtant pas de spectacle prêtant à rire comme ces gens assemblés, dont le cœur bondit et palpite au bruit des dés qui tombent. L'espoir de gagner ne les abandonne jamais; mais, lorsque la nef qui portait leur fortune s'est brisée contre l'écueil du jeu, beaucoup plus redoutable que le cap Malée [272], lorsque les naufragés sortent des flots à grand-peine et tout nus, ils frauderaient tout le monde plutôt que leur gagnant, craignant avant tout de passer pour peu délicats. N'y a-t-il pas des vieillards presque aveugles qui, pour jouer encore, s'affublent de besicles ? Et lorsque enfin la goutte justicière leur a tordu les articulations, ne se payent-ils pas des remplaçants pour jeter leurs dés sur la table [273] ? Ce serait charmant, si le plus souvent le jeu ne s'achevait par des rages, ce qui est du ressort des Furies, non du mien.

XL. — Je reconnais authentiquement de notre farine [274] ceux qui se plaisent à écouter ou à conter de mensongères et monstrueuses histoires de miracles. Ils ne se lassent point d'entendre ces fables énormes sur les fantômes, lémures et revenants, sur les esprits de l'Enfer et mille prodiges de ce genre. Plus le fait est invraisemblable, plus ils s'empressent d'y croire et s'en chatouillent agréablement les oreilles [275]. Ces récits, d'ailleurs, ne servent pas seulement à charmer l'ennui des heures; ils produisent quelque profit, et tout au bénéfice des prêtres et des prédicateurs.

Bien voisins sont les gens qui, par une folle mais douce persuasion, se figurent que la rencontre d'une statue ou d'une peinture de ce Polyphème de saint Christophe [276] les assure de ne point mourir dans la journée, ceux qui adressent à sainte Barbe [277] sculptée les paroles prescrites qui font revenir sain et sauf de la bataille, ceux qui s'adressent à saint Érasme [278] à certains jours, avec certains petits cierges et certaines petites prières, convaincus qu'ils feront fortune promptement. De même qu'il y a pour eux un second Hippolyte [279], ils ont trouvé en saint Georges un autre Hercule [280]. Ils en sont presque à adorer son cheval très dévotement caparaçonné et adorné; de petits présents gagnent ses faveurs et jurer par son casque d'airain est un vrai serment de roi.

Que dirai-je de celui qui se flatte délicieusement d'obtenir pour ses crimes des pardons imaginaires [281], mesure comme à la clepsydre la durée du Purgatoire, et s'en fait une table mathématique infaillible de siècles, années, mois, jours et heures ? ou de qui se nourrit de formules magiques et d'oraisons inventées par un pieux imposteur, vaniteux ou avide, et qui s'en promet tout, richesses, honneurs, plaisirs, abondance, santé toujours solide, verte vieillesse et, pour finir, un siège au Paradis, auprès du Christ! Encore ne veulent-ils s'y asseoir que le plus tard possible, quand les voluptés de cette vie, auxquelles ils se cramponnent, les abandonneront malgré eux et qu'ils devront se contenter de celles du Ciel. Voyez donc ce marchand, ce soldat, ce juge, qui, sur tant de rapines, prélèvent un peu de monnaie et s'imaginent, en l'offrant, purifier d'un seul coup le marais de Lerne [282] qu'est leur vie, racheter par un simple pacte tant de parjures, de débauches, d'ivrogneries, de rixes, de meurtres, d'impostures, de perfidies et de trahisons, rachat si parfait, croient-ils, qu'ils pourront librement recommencer ensuite la série de leurs scélératesses.

Quoi de plus fou, que dis-je ? quoi de plus heureux que ces autres qui récitent quotidiennement sept petits versets du saint Psautier et s'en promettent la félicité des élus ! Or, ces petits versets magiques, un certain diable, par facétie, les aurait indiqués à saint Bernard, étant au reste plus étourdi que malin, puisqu'il fut pris à son propre piège [283]. Et de pareilles folies, dont j'ai moi-même presque honte, ce n'est pas seulement le vulgaire qui les approuve, ce sont aussi des professeurs de religion.

Inspiré du même esprit, chaque pays réclame pour son usage un saint particulier. Il lui confère des attributions propres, établit ses rites distincts. Il en faut un pour guérir le mal de dents, un autre pour délivrer les femmes en couches ; il y a celui qui retrouve les objets volés, celui qui apparaît au naufragé et le sauve, celui qui protège les troupeaux, et ainsi des autres, car l'énumération n'en finirait pas. Certains cumulent les pouvoirs, particulièrement la Vierge mère de Dieu, à qui le commun des hommes en attribue presque plus qu'à son Fils.

XLI. — Mais que sollicite-t-on de ces saints, sinon ce qui concerne la Folie ? Lisez tous les ex-voto qui, dans certains temples, couvrent les murs jusqu'à la voûte ; personne n'a jamais demandé la guérison de la folie ou d'acquérir un poil de sagesse. Celui-ci s'est sauvé à la nage, celui-là a survécu aux blessures du combat ; celui qui a fui pendant la bataille, laissant les autres l'achever, dit sa chance et son courage ; celui qui a tâté de la potence, fait honneur de sa délivrance à quelque saint propice aux voleurs, et pourra recommencer à soulager le prochain encombré de sa richesse. Il y a l'homme qui a brisé les portes de sa prison, celui qui a guéri de sa fièvre, à la grande irritation du médecin, celui qui, ayant avalé le poison, l'a rendu par le bas et s'en est purgé sans en mourir, ce qui fait que sa femme a perdu sa peine et son argent [284]. Il y a celui dont la voiture a versé et qui a ramené chez lui ses chevaux sains et saufs, celui qui a été retiré vivant des décombres, celui qui, pincé par le mari, s'est échappé. Pas un ne rend grâces d'être délivré d'une folie. Il est donc bien doux d'être sans raison, puisque les mortels prient pour être sauvés de tout, excepté de moi.

Mais pourquoi m'embarquer sur cette mer de superstitions ? « Eussé-je cent langues, cent bouches et une voix d'airain, je ne pourrais dénombrer toutes les sortes de fous, ni tous les noms de la Folie [285]. » C'est que la vie ordinaire des chrétiens regorge de ces extravagances, que les prêtres volontiers admettent et entretiennent, sans ignorer quel profit leur en revient. Dans ces milieux, un sage importun peut se lever et dire les choses telles qu'elles sont : « Tu ne feras pas mauvaise fin, si tu as bien vécu. Pour racheter tes péchés, joins à ta pièce de monnaie la haine de tes fautes, avec larmes, veilles, prières et jeûnes, et change complètement de conduite. Le saint que tu pries te protégera, si ta vie ressemble à la sienne. » Si le sage répète ces vérités et d'autres semblables, voyez comme il arrache les âmes à leur bonheur et dans quel trouble il les jette !

Comptons dans la confrérie ceux qui, de leur vivant, prévoient si minutieusement leurs obsèques [286], qu'ils en viennent à régler le nombre des cierges, des manteaux noirs, des chanteurs et des figurants du deuil [287], comme s'il devait venir jusqu'à eux quelque chose de ce spectacle, comme si moins de magnificence dans un enterrement pouvait humilier les morts. C'est l'état d'esprit des édiles qu'on vient d'élire et qui se préoccupent de donner des jeux et des festins.

XLII. — Je me hâte, et pourtant comment passer sous silence ces gens que rien ne distingue d'un manœuvre infime [288], et dont l'orgueil se caresse d'un vain titre nobiliaire ! L'un veut remonter à Énée, l'autre à Brutus [289], un troisième à Arcture [290]. Partout chez eux des portraits d'ancêtres sculptés et peints. Ils énumèrent des bisaïeux et trisaïeux, rappellent les antiques surnoms, ne ressemblant que trop eux-mêmes à la statue sans parole et n'étant guère plus que les images qu'ils étalent. Néanmoins, grâce à notre aimable Philautie [291], ils vivent parfaitement heureux; et il ne manque pas de fous pareils pour regarder ces brutes comme des dieux.

Mais pourquoi citer tel ou tel exemple, alors qu'en tous lieux Philautie (l'Amour-Propre) répand merveilleusement le bonheur ? Celui-ci, plus laid qu'un singe, se voit beau comme Nirée [292]; celui-là se juge un Euclide [293] pour trois lignes qu'il trace au compas; cet autre croit chanter comme Hermogène [294], alors qu'il est l'âne devant la lyre et que sa voix sonne aussi faux que celle du coq mordant sa poule [295].

Encore un fort agréable genre de folie, celui des gens qui tirent honneur du mérite de leurs domestiques et se l'attribuent. Ainsi fut archi-heureux un richard dont parle Sénèque [296]. Contait-il une historiette, il avait sous la main des serviteurs qui lui soufflaient les mots, et, tout fragile qu'il fût, il eût accepté fort bien un défi au pugilat, assuré d'avoir chez lui quantité d'esclaves robustes.

Pour les artistes de profession, qu'est-il besoin d'en parler ? Chacun d'eux a sa Philautie particulière et céderait plutôt son champ paternel que son talent. C'est surtout le cas du Comédien, du Chanteur, de l'Orateur et du Poète. Moins il a de valeur, plus il a de prétention et d'impertinence, plus il se rengorge et plastronne. Et tous trouvent à placer leur marchandise [297], car c'est toujours ce qu'il y a de plus inepte qui rencontre le plus d'admirateurs. Le pire plaît nécessairement au plus grand nombre, la majorité des hommes étant asservie à la Folie. Puisque, aussi bien, le plus inhabile est aussi le plus satisfait de lui-même et le plus admiré, à quoi bon s'attacher au vrai savoir, qui est pénible à acquérir, rend ennuyeux et timide et n'est apprécié, en somme, que de si peu de gens ?

XLIII. — Si la nature fait naître chaque homme avec cette Philautie, qui est Amour de soi, elle en a muni également chaque nation et chaque cité. D'où suit que les Anglais revendiquent, entre autres dons, la beauté, physique, le talent musical et celui des bons repas [298]; les Écossais se vantent d'une noblesse, d'un titre de parenté royale, de l'habileté dans la controverse; les Français prennent pour eux l'urbanité; les Parisiens [299] s'arrogent presque le monopole de la science théologique; les Italiens, celui des bonnes lettres et de l'éloquence, et ils en tirent comme peuple l'orgueil d'être le seul qui ne soit pas barbare. Dans ce genre de félicité, les Romains l'emportent et s'enchantent encore du rêve de l'antique Rome. Le bonheur des Vénitiens est dans le cas qu'ils font de leur noblesse [300]. Les Grecs, qui se regardent comme les créateurs des arts, s'attribuent les titres de gloire des héros de l'antiquité. Les Turcs, ce ramassis de barbares, prétendent à la meilleure religion et raillent les Chrétiens, qu'ils traitent de superstitieux.

Plus amusants encore sont les Juifs, qui attendent avec constance leur Messie et, aujourd'hui encore, tiennent à leur Moïse mordicus. Les Espagnols ne cèdent à personne l'honneur des armes. Les Allemands sont fiers de leur haute taille et de leurs connaissances en magie [301].

XLIV. — N'allons pas plus loin; vous voyez, je pense, combien Philautie procure de satisfactions à tous et à chacun.

Elle a pour sœur Flatterie, qui lui ressemble fort, car Philautie se caresse soi-même et Flatterie caresse les autres. Cependant celle-ci est décriée de nos jours, du moins par les gens que troublent les mots et non les réalités. Ils estiment que la sincérité est incompatible avec la flatterie, alors que tant d'exemples, dont celui des animaux, leur démontreraient le contraire. Qu'y a-t-il de plus flatteur que le chien et aussi de plus fidèle ? de plus caressant que l'écureuil et en même temps de plus ami de l'homme ? Voudriez-vous admettre que les lions farouches, les tigres féroces ou les irritables léopards soient plus favorables à la vie humaine ? Il y a bien une flatterie, assurément pernicieuse, qu'utilisent parfois la méchanceté et la moquerie pour perdre les malheureux. Mais celle qui vient de moi naît de la bonté et de la candeur; elle se trouve beaucoup plus voisine de la vertu que la rudesse, son contraire, et que cette humeur qu'Horace dit morose et sauvage [302]. Elle relève les âmes abattues, adoucit les tristesses, stimule les nonchalants, anime les engourdis, soulage les malades, amollit les cœurs furieux, rapproche les amoureux et les tient unis. Elle encourage l'enfant à aimer l'étude, déride le vieillard, insinue aux princes, sans les blesser, des conseils et des leçons enveloppés dans une louange. En somme, elle rend chacun plus agréable et plus cher à soi-même, ce qui est l'essence du bonheur. Voit-on plus obligeant que deux mulets qui s'entre-grattent [303] ?

La flatterie fait partie de cette Éloquence tant célébrée, et davantage encore de la Médecine, et au plus haut point de la Poésie. Elle est le miel et le condiment de toutes les relations entre les hommes [304].

XLV. — Mais, dira-t-on, c'est un malheur d'être trompé! Bien plus grand malheur de ne pas l'être. L'erreur est énorme de faire résider le bonheur dans les réalités : il dépend de l'opinion qu'on a d'elles. Il y a tant d'obscurité, tant de diversité dans les choses humaines, qu'il est impossible d'en rien élucider, comme l'ont justement dit mes Académiciens [305], « les moins orgueilleux des philosophes »; ou bien, si quelqu'un arrive à la connaissance, c'est bien souvent aux dépens de son bonheur.

L'esprit de l'homme est ainsi fait qu'on le prend beaucoup mieux par le mensonge que par la vérité. Faites-en l'expérience; allez à l'église quand on y prêche. S'il est question de choses sérieuses, l'auditoire dort, bâille, s'embête. Que le crieur (pardon, je voulais dire l'orateur), comme cela est fréquent, entame un conte de bonne femme, tout le monde se réveille et se tient bouche bée. De même, s'il y a quelque saint un peu fabuleux et poétique, à la façon de saint Georges [306], de saint Christophe [307] ou de sainte Barbe [308], vous verrez venir à lui beaucoup plus de dévots qu'à saint Pierre, à saint Paul ou même au Christ. Mais ces choses-là n'ont rien à faire ici.

Qu'un tel bonheur coûte peu! Les moindres connaissances, comme la grammaire, s'acquièrent à grand-peine, tandis que l'opinion se forme très aisément; et elle contribue tout autant au bonheur et même bien davantage. Tel homme se nourrit de salaisons pourries, dont un autre ne pourrait supporter l'odeur; puisqu'il y goûte une saveur d'ambroisie, qu'est-ce que cela fait à son plaisir ? Par contre, celui à qui l'esturgeon donne des nausées n'y peut trouver aucun agrément. Une femme est laide à faire peur, mais son mari l'égale à Vénus [309]; c'est tout comme si elle était parfaitement belle. Le possesseur d'un méchant tableau, barbouillé de cinabre et de safran, le contemple et l'admire, convaincu qu'il est d'Apelle [310] ou de Zeuxis [311]; n'est-il pas plus heureux que celui qui aura payé très cher une peinture de ces artistes et la regardera peut-être avec moins de plaisir ? J'ai connu quelqu'un de mon nom [312] qui fit présent à sa jeune femme de fausses pierreries et lui persuada, étant beau parleur, qu'elles étaient non seulement vraies et naturelles, mais rares et d'un prix inestimable. Voyons, qu'est-ce que cela faisait à la jeune dame ? Elle ne repaissait pas moins joyeusement ses yeux et son esprit de cette verroterie; elle n'en serrait pas moins précieusement ces riens comme un trésor. Le mari cependant évitait la dépense et profitait de l'illusion de sa femme, aussi reconnaissante que si elle avait reçu un cadeau princier.

Trouvez-vous une différence entre ceux qui, dans la caverne de Platon [313], regardent les ombres et les images des objets, ne désirant rien de plus et s'y plaisant à merveille, et le sage qui est sorti de la caverne et qui voit les choses comme elles sont ? Si le Mycille de Lucien [314] avait pu continuer à jamais le rêve doré où il était riche, il n'aurait pas eu d'autre félicité à souhaiter. Il n'y a donc pas de différence ou, s'il en est une, c'est la condition des fous qu'il faut préférer. Leur bonheur coûte peu, puisqu'il suffit d'un grain de persuasion; ensuite, beaucoup en jouissent ensemble.

XLVI. — Or nous savons qu'aucun bien n'agrée s'il n'est partagé. Mais les sages sont en bien petit nombre, si même il y en a : la Grèce, depuis tant de siècles, en compte sept en tout [315], et encore je parie gros qu'en examinant bien, on ne trouverait pas chez eux la moitié ou même le tiers d'un homme sage.

Parmi tant de bienfaits dont on loue Bacchus, le premier est de chasser les soucis, il est vrai pour bien peu de temps, car ils reviennent au galop, comme on dit, dès qu'on a cuvé sa piquette. Les avantages que je procure sont bien plus complets, bien plus définitifs. En quelle ivresse perpétuelle je plonge l'âme! Comme je la remplis de joies, de délices et de transports, sans lui demander le moindre effort! Et je n'écarte personne de mes faveurs, tandis que les autres divinités choisissent leurs privilégiés. Tout pays ne produit point ce vin généreux et doux qui, pour chasser les soucis, se verse avec la riche espérance [316]. » Peu d'êtres reçoivent la beauté, présent de Vénus, moins encore l'éloquence, don de Mercure, Hercule n'accorde pas la richesse à beaucoup de monde [317], ni Jupiter homérique le sceptre au premier venu. Mavors [318] reste souvent neutre dans les combats. Nombreux sont ceux qui s'éloignent déçus du trépied d'Apollon. Le fils de Saturne lance fréquemment sa foudre, et Phébus quelquefois [319], de ses traits, envoie la peste. Neptune noie plus de monde qu'il n'en sauve. Véjoves [320], Plutons, Atés [321], Châtiments, Fièvres, n'en parlons pas; ce ne sont pas des êtres divins, mais des bourreaux.

Il n'y a que moi, la Folie, pour partager indistinctement entre les hommes une bienfaisance toujours prête.

XLVII. — Je n'attends point de vœux; je ne me mets pas en colère; je ne réclame pas d'offrande expiatoire pour un détail omis dans un rite. Je ne remue point ciel et terre [322], si l'on a convié les autres Dieux en me laissant à la maison [323] ou si l'on ne m'a pas admise à flairer l'odeur des victimes [324]. Sur ce point, les divinités sont tellement exigeantes qu'on a plus d'avantage et de sécurité à les négliger qu'à les servir; il y a comme cela des hommes de caractère si fâcheux et si faciles à irriter, qu'il vaudrait mieux les ignorer complètement que de les avoir pour amis.

Mais personne, dit-on, n'offre de sacrifice à la Folie, ni ne lui élève de temple. C'est exact, et cette ingratitude, je vous l'ai dit, m'étonne assez; mais je suis indulgente et je prends la chose du bon côté. Je ne tiens même pas à tout cela. Que me ferait un peu d'encens ou de farine sacrée, un bouc, une truie, alors que partout où sont des hommes, j'obtiens un culte que même les théologiens tiennent pour excellent ? Faudrait-il, par hasard, jalouser Diane parce qu'on l'honore avec du sang humain [325] ? Je me trouve, moi, parfaitement servie par chacun et en tout lieu, lorsque les cœurs me possèdent, lorsque les mœurs me reflètent et lorsque la vie est à mon image.

Cette façon de pratiquer un culte n'est pas fréquente parmi les chrétiens. La plupart présentent à la Vierge, mère de Dieu, un petit cierge, en plein jour, qui ne lui sert de rien. Mais qu'il y en a peu à s'efforcer d'imiter ses vertus, la chasteté, la modestie, l'amour des choses divines ! C'est pourtant là le culte véritable, de beaucoup le plus agréable aux habitants du Ciel. Pourquoi, au surplus, désirerais-je un temple, disposant du plus beau de tous, puisque j'ai l'univers ? Partout où il y a des hommes, j'ai des fidèles. Je ne suis pas assez sotte pour demander des figurations sculptées ou peintes, tout à fait inutiles à mon culte. De niais et grossiers dévots adorent, à la place des Dieux, leurs images [326]; il arrive pareillement à un mortel d'être supplanté par son représentant. Pour moi, je compte autant de statues qu'il y a d'hommes, puisque, même involontairement, ils sont ma vivante image. Les autres Dieux ne peuvent donc point m'inspirer d'envie, pour posséder chacun sur la terre sa chapelle et ses jours de dévotion; tels sont à Rhodes, Phébus [327]; à Chypre, Vénus [328]; à Argos, Junon [329]; à Athènes, Minerve [330]; sur le mont Olympe,

Jupiter[331]; à Tarente, Neptune[332]; à Lampsaque, Priape[333]. A moi, c'est dans tout l'univers que des victimes bien plus précieuses sont offertes continuellement.

XLVIII. — Si je vous parais m'exprimer avec plus de présomption que d'exactitude, examinons ensemble l'existence des hommes; leurs dettes envers moi apparaîtront clairement, comme l'estime que me témoignent les grands et les petits. Ne recensons pas chaque condition de la vie, ce serait trop long; par les plus insignes, nous jugerons bien des autres. Pourquoi parler du vulgaire et de la plèbe qui, sans contestation, m'appartiennent tout entiers ? Tant de formes de la folie y abondent et chaque journée en fait naître tant de nouvelles, que mille Démocrite[334] ne suffiraient pas à s'en moquer, et il y aurait toujours à faire appel à un Démocrite de plus. On ne pourrait croire combien d'amusements et de joyeusetés quotidiennes les Dieux tirent des pauvres hommes[335]. Ils passent les heures sobres du matin à accueillir les contestations et à attendre des vœux. Bientôt, gorgés de nectar et incapables de toute occupation sérieuse, ils gagnent la partie la plus élevée du Ciel, d'où ils se penchent, pour regarder les actions humaines. Il n'est pas, pour eux, spectacle plus divertissant. Par Dieu! quel théâtre est-ce là! Quelle agitation et quelles variétés de fous!

J'aime moi-même aller les voir, assise parmi les Dieux de la poésie. L'un se meurt pour une petite femme et, moins il est aimé, plus il se passionne; l'autre épouse non une femme, mais une dot. L'un prostitue sa femme; l'autre la surveille, jaloux comme Argus. Ah! que de folies se font ou se disent pour un deuil, où ce sont des comédiens payés qui représentent la douleur! Et voici quelqu'un qui pleure au tombeau de sa belle-mère! Un homme fera passer dans son ventre tout son gain[336], au risque d'être affamé bientôt; un autre mettra son bonheur à dormir et à ne rien faire. Des gens s'agitent sans relâche pour les affaires du voisin, et des leurs n'ont cure. Certains vivent d'emprunts, se croient riches avec l'argent d'autrui, et sont à deux pas de la déconfiture. Tout le bonheur de celui-ci est de vivre pauvre pour enrichir un héritier. Celui-là, pour un profit maigre et douteux, court à travers les mers, exposant au danger des flots et des vents une existence qu'aucun argent ne saurait lui rendre. Cet autre préfère chercher fortune à la guerre que se reposer en sécurité dans sa maison. Il en est qui courtisent les vieillards sans enfants [337], pensant ainsi s'enrichir plus commodément; d'autres, bien entendu, font le même manège auprès des vieilles femmes fortunées [338]. Tout cela prépare aux Dieux un spectacle bien amusant pour le jour où les dupeurs sont dupés.

Une race très folle et très sordide est celle des Marchands, puisqu'ils exercent un métier fort bas [339] et par des moyens fort déshonnêtes. Ils mentent à qui mieux mieux, se parjurent, volent, fraudent, trompent et n'en prétendent pas moins à la considération, grâce aux anneaux d'or qui encerclent leurs doigts. Ils ont, au reste, l'admiration des moinillons adulateurs, qui les appellent en public « vénérables », probablement pour s'assurer leur part dans l'argent mal acquis. Ailleurs, vous voyez certains Pythagoriciens si persuadés de la communauté des biens [340] que, tout ce qui sans surveillance passe à leur portée, ils s'en emparent tranquillement comme d'un héritage. Il en est qui ne sont riches que de leurs souhaits; les rêves agréables qu'ils font suffisent à les rendre heureux. Quelques-uns, satisfaits de paraître fortunés hors de chez eux, à la maison meurent consciencieusement de faim. Tout ce qu'il possède, celui-ci se hâte de le dissiper, et celui-là thésaurise sans scrupule. Celui-ci se fatigue à briguer les honneurs populaires, cet autre s'acoquine au coin de son feu. Bon nombre intentent des procès sans fin et leur opiniâtreté batailleuse n'avantage que la lenteur des juges et la collusion de l'avocat. L'un se passionne pour la nouveauté d'un projet, l'autre seulement pour sa grandeur. Et en voici un qui, pour aller à Jérusalem, à Rome, ou bien chez saint Jacques [341], où rien ne l'appelle, plante là sa maison, sa femme et ses enfants.

En somme, si vous pouviez regarder de la Lune, comme autrefois Ménippe [342], les agitations innombrables de la Terre, vous penseriez voir une foule de mouches ou de moucherons, qui se battent entre eux, luttent, se tendent des pièges, se volent, jouent, gambadent, naissent, tombent et meurent; et l'on ne peut croire quels troubles, quelles tragédies, produit un si minime animalcule destiné à sitôt périr. Fréquemment, par une courte guerre ou l'attaque d'une épidémie, il en disparaît à la fois bien des milliers!

XLIX. — Mais ne serais-je pas moi-même la plus folle créature et digne des moqueries répétées de Démocrite [343], si je continuais à énumérer les folies et les insanités populaires ? J'arrive à ceux qui se donnent, parmi les mortels, l'extérieur de la sagesse et convoitent, comme ils disent, le rameau d'or.

Au premier rang sont les Grammairiens, race d'hommes qui serait la plus calamiteuse, la plus affligée [344], et la plus accablée par les Dieux, si je ne venais atténuer les disgrâces de leur malheureuse profession par une sorte de douce folie. Ils ne sont pas seulement cinq fois maudits, c'est-à-dire exposés à cinq graves périls, comme dit une épigramme grecque [345]; c'est mille malédictions qui pèsent sur eux. On les voit toujours faméliques et sordides dans leur école; je dis leur école, je devrais dire leur séjour de tristesse, ou mieux encore leur galère ou leur chambre de tortures. Parmi leur troupeau d'écoliers, ils veillissent dans le surmenage, assourdis de cris, empoisonnés de puanteur et de malpropreté [346], et cependant je leur procure l'illusion de se croire les premiers des hommes. Ah! qu'ils sont contents d'eux lorsqu'ils terrifient du regard et de la voix une classe tremblante, lorsqu'ils meurtrissent les malheureux enfants avec la férule, les verges et le fouet, lorsque, pareils à cet âne de Cumes [347], ils s'abandonnent à toutes les formes de la colère! Cependant, la saleté où ils vivent leur semble être du meilleur goût et leur puanteur exhaler la marjolaine. Leur malheureuse servitude leur apparaît comme une royauté et ils n'échangeraient pas leur tyrannie contre le sceptre de Phalaris [348] ou de Denys [349].

Mais leur plus grande félicité vient du continuel orgueil de leur savoir. Eux qui bourrent le cerveau des enfants de pures extravagances [350], comme ils se croient supérieurs, Bons Dieux! à Palémon [351] et à Donat [352]! Et je ne sais par quel sortilège ils se font accepter comme ils se jugent par les folles mamans et les pères idiots. Ils prennent aussi d'extrêmes plaisirs à découvrir sur des parchemins pourris, soit le nom de la mère d'Anchise [353], soit quelque expression inusitée comme *busequa* [354], *bovinator* [355], *manticulator* [356], ou encore à déterrer un fragment d'inscription sur un morceau de vieille pierre. O Jupiter! quelle exaltation! quel triomphe! quels éloges! Auraient-ils vaincu l'Afrique ou pris Babylone [357]? Leurs versiculets les plus froids et les plus sots, ils les colportent, leur trouvent des admirateurs et se persuadent que l'âme de Virgile a passé en eux. Rien ne les enchante davantage que de distribuer entre eux les admirations et les louanges, et d'échanger des congratulations. Mais, que l'un d'eux laisse échapper un lapsus et que, par hasard, un plus avisé s'en aperçoive, par Hercule! quelle tragédie! quelle levée de boucliers! quelles injures et quelles invectives! Que j'aie contre moi tous les grammairiens, si j'exagère!

J'ai connu un savant aux connaissances très variées, tout à fait un maître en grec, latin, mathématiques, philosophie et médecine, et presque sexagénaire, qui a tout quitté depuis plus de vingt ans pour se torturer à étudier la grammaire. Il se dirait heureux, s'il pouvait vivre assez pour définir à fond les huit parties du discours, ce que personne jusqu'ici, chez les Grecs ni chez les Latins, n'a pu faire à la perfection. Comme si c'était motif de guerre d'enlever une conjonction au domaine des adverbes! On sait qu'il y a autant de grammaires que de grammairiens, et même davantage, puisque mon ami Alde [358], à lui seul, en a imprimé plus de cinq. Il n'en est pas de si barbare et de si pénible que notre homme consente à négliger; il les feuillette et les manie sans cesse; il épie les moindres sots qui débitent quelques niaiseries sur la matière, craignant toujours d'être volé de sa gloire et de perdre son travail de tant d'années. Appelez cela, à votre choix, insanité ou folie, ce m'est indifférent, pourvu que vous m'accordiez que c'est par mes bienfaits que l'animal, de beaucoup le plus malheureux de tous, s'élève à une telle félicité qu'il refuserait de troquer son sort contre celui du roi de Perse.

L. — Les Poètes me doivent moins, quoiqu'ils soient naturellement de mon ressort. Ils forment une race indépendante, comme dit le proverbe [359], appliquée constamment à séduire l'oreille des fous par des choses de rien et des fables purement ridicules. Il est surprenant qu'avec un tel bagage ils se promettent l'immortalité, une vie égale à celle des Dieux, et qu'ils se croient capables de l'assurer à autrui [360]. Cette catégorie, qui est avant tout au service de l'Amour-Propre et de la Flatterie, est dans tout le genre humain celle qui m'honore avec le plus de sincérité et de constance.

Les Rhéteurs aussi relèvent de moi, quoiqu'il leur arrive quelquefois de m'être infidèles et de lier partie avec les philosophes. Entre autres sottises, je leur reproche d'avoir écrit tant de fois, et avec tant de sérieux, sur l'art de plaisanter. L'auteur, quel qu'il soit, du traité *De la Rhétorique à Herennius* compte la Folie parmi les facéties [361], et Quintilien, qui est prince dans leur ordre, a un chapitre sur le rire qui est plus long que *l'Iliade* [362] ! La Folie a pour tous tant de prix que très souvent, pour suprême argument, il leur arrive de soulever une risée. C'est donc à moi qu'ils ont recours, puisque c'est mon rôle de faire éclater de rire.

De même farine sont les Écrivains, aspirant à une renommée immortelle par la publication de leurs livres. Tous me doivent énormément, ceux surtout qui griffonnent sur le papier de pures balivernes. Quant à ceux qui soumettent leur érudition au jugement d'un petit nombre de savants et qui ne récusent ni Persius ni Lélius [363], ils me semblent beaucoup plus misérables qu'heureux, vu la torture sans fin qu'ils s'imposent. Ils ajoutent, changent, suppriment, abandonnent, reprennent, reforgent, consultent sur leur travail, le gardent neuf ans, ne se satisfont jamais; et la gloire, futile récompense que peu reçoivent, ils la payent singulièrement aux dépens du sommeil, ce bien suprême, et par tant de sacrifices, de sueurs et de tracas. Ajoutons la perte de la santé et de la beauté, l'ophtalmie [364] et même la cécité, la pauvreté, les envieux. la privation de tout plaisir, la précoce vieillesse, la mort prématurée et beaucoup d'autres misères. Par cette continuité de sacrifices, notre savant ne croit pas acheter trop cher l'approbation que lui marchande tel ou tel cacochyme.

Et voici que mon écrivain, à moi, jouit d'un heureux délire, et sans fatigue laisse couler de sa plume tout ce qui lui passe par la tête, transcrit à mesure ses rêves, n'y dépensant que son papier, sachant d'ailleurs que plus seront futiles ses futilités, plus il récoltera d'applaudissements, ceux de l'unanimité des fous et des ignorants. Que lui importent ces trois docteurs qui pourraient les lire et qui en feraient fi ? que pèserait l'opinion d'un si petit nombre devant la multitude des contradicteurs ?

Mieux avisés encore ceux qui savent s'attribuer des ouvrages d'autrui. La gloire qui reviendrait à un autre pour son grand travail, ils se l'adjugent, certains que l'accusation de plagiat ne les empêchera pas d'en avoir eu pour un temps le bénéfice. Voyez-les plastronner sous les éloges et montrés du doigt par la foule [365] : « Le voilà, cet homme fameux! » Les libraires les exposent en belle place; au titre de leurs ouvrages, se lisent trois noms [366] le plus souvent étrangers et cabalistiques. Que signifient donc ces mots, Dieux immortels! et qu'il y a peu de gens dans le vaste univers à pouvoir en comprendre le sens, moins encore à les approuver, puisque même les ignorants ont leurs préférences! Ces mots, en réalité, sont d'ordinaire forgés ou tirés des livres des anciens. Il plaît à l'un de se nommer Télémaque, à un autre Stélénus [367] ou Laërte [368], ou encore Polycrate [369] ou Thrasimaque [370]; ils pourraient aussi bien donner à leurs livres le titre de *Caméléon* ou de *Citrouille*, ou y inscrire comme les philosophes [371] *Alpha* ou *Bêta*.

Le fin du fin est de s'accabler d'éloges réciproques en épîtres et pièces de vers. C'est la glorification du fou par le fou, de l'ignorant par l'ignorant. Le suffrage de l'un proclame l'autre Alcée et celui-ci le salue Callimaque [372]. Celui qui vous dit supérieur à Cicéron, vous le déclarez plus savant que Platon. On se cherche parfois un adversaire pour grandir sa réputation par une bataille. « Deux partis contraires se forment dans le public [373] »; les deux chefs combattent à merveille, sont tous deux vainqueurs et célèbrent leur victoire. Les sages se moquent à bon droit de cette extrême folie. Je ne la nie point; mais, en attendant, j'ai fait des heureux qui ne changeraient pas leur triomphe pour ceux des Scipion.

Mais ces Savants aussi, qui prennent tant de plaisir à rire de ces énormités et à jouir de la folie des autres, ne sont pas moins mes débiteurs et ne pourraient le contester sans être les plus ingrats des hommes.

LI. — Parmi eux, les Jurisconsultes réclament le premier rang, personne n'étant plus vaniteux. Ils roulent assidûment le rocher de Sisyphe [374], en amoncelant des textes de lois sur un sujet auquel elles n'ont que faire. Accumulant glose sur glose [375], opinion sur opinion, ils donnent l'impression que leur science est la plus difficile. Ils se figurent, en effet, que tout ce qui coûte de la peine est méritoire.

Joignons-leur les Dialecticiens et les Sophistes, race plus bruyante que l'airain de Dodone [376] et dont le moindre l'emporterait en bavardage sur vingt femmes au choix. Ce serait peu que d'être aussi bavards, mais ils sont également querelleurs au point de s'acharner à tirer l'épée pour de la laine de chèvre [377] et de perdre, à force de discuter, tout souci de la vérité. Cependant, leur amour-propre les rend heureux, puisque trois syllogismes les arment suffisamment pour s'attaquer à n'importe qui sur n'importe quoi. Et leur obstination les maintient invincibles, même en face de Stentor [378].

LII. — Après eux s'avancent les Philosophes, respectables par la barbe et par le manteau [379], et qui se déclarent les seuls sages, voyant dans le reste de l'humanité des ombres flottantes [380]. Quels délicieux transports, lorsqu'ils édifient des mondes innombrables, mesurent du doigt et du fil le soleil, la lune, les étoiles, les sphères, lorsqu'ils expliquent sans hésiter la foudre, les vents, les éclipses et autres choses inexplicables, comme s'ils étaient confidents de la Nature constructrice du monde et délégués du conseil des Dieux! La Nature cependant se rit magnifiquement d'eux et de leurs conjectures, car ils n'ont rien pris à bonne source, et les discussions sans fin qu'ils soutiennent sur toute chose en font largement la preuve. Ils ne savent rien de rien et prétendent tout connaître; ignorants d'eux-mêmes, ils n'aperçoivent même pas le fossé ou la pierre sur leur chemin [381], soit par fatigue de la vue ou distraction de l'esprit. En attendant ils ont la prétention de bien voir les idées, universaux [382], formes séparées [383], éléments premiers [384], quiddités [385], eccéités [386], toutes choses si difficiles à percevoir qu'elles échappent à Lyncée [387] lui-même. Quel mépris du profane vulgaire, toutes les fois que leurs triangles, carrés, cercles, et autres géométriques figures, emmêlées et confuses comme un labyrinthe, leurs lettres d'alphabet rangées en bataille, jettent aux yeux des ignorants la poudre qui les aveugle! Certains prédisent aussi l'avenir par les astres, promettent des miracles dépassant ceux de la magie, et ont la chance de trouver des gens pour y croire.

LIII. — Il vaudrait mieux, sans doute, passer sous silence les Théologiens, éviter de remuer cette Camarine [388], de toucher à cette herbe infecte. Race étonnamment sourcilleuse et irritable [389], ils prendraient contre moi mille conclusions en bloc et, si je refusais de me rétracter, me dénonceraient sans délai comme hérétique. C'est la foudre dont ils terrifient instantanément qui leur déplaît. Je n'ai rencontré personne qui soit moins reconnaissant qu'eux de mes bienfaits, quoique je les en accable. L'amour-propre, par exemple, les juche au troisième ciel. Du haut de ce séjour enchanté, ils regardent le reste des mortels, troupeau rampant sur la terre, et le prennent en pitié. Je les entoure d'une armée de définitions magistrales, conclusions, corollaires, propositions explicites et implicites; ils sont munis de tant de faux-fuyants qu'ils sauraient échapper au filet de Vulcain [390] par les distinctions dont ils disposent et qui trancheraient tous les nœuds plus aisément que la hache de Ténédos [391]. Leur style regorge de néologismes et de termes extraordinaires. Ils expliquent à leur manière les arcanes des mystères : comment le monde a été créé et distribué; par quels canaux la tache du péché s'est épandue sur la postérité d'Adam; par quels moyens, dans quelle mesure, et à quel instant le Christ a été achevé dans le sein de la Vierge; de quelle façon, dans le sacrement, les accidents subsistent sans la matière.

A ces questions, aujourd'hui rebattues, les grands théologiens, les illuminés comme ils disent, préfèrent et jugent plus dignes d'eux d'autres qui les excitent davantage : s'il y a eu un instant précis dans la génération divine; s'il y a eu plusieurs filiations dans le Christ; si l'on peut soutenir cette proposition que Dieu le Père hait son Fils; si Dieu aurait pu venir sous la forme d'une femme, d'un diable, d'un âne, d'une citrouille ou d'un caillou; si la citrouille aurait prêché, fait des miracles, été crucifiée. Qu'aurait consacré saint Pierre, s'il eût célébré tandis que le corps du Christ pendait sur la croix ? A ce moment, pouvait-on dire que le Christ fût homme ? Les hommes, après la résurrection, pourront-ils manger et boire ? Nos gens se prémunissent par avance, on le voit, contre la faim et la soif.

Innombrables sont leurs subtiles niaiseries, encore plus subtiles que les précédentes, au sujet des instants, notions, relations, formalités, quiddités [392], eccéités [393], toutes imaginations que seul l'œil de Lyncée [394] pourrait percevoir; encore lui faudrait-il distinguer à travers les plus épaisses ténèbres ce qui n'existe pas. Joignez-y des sentences tellement paradoxales que celles des Stoïciens, qui portent le nom de paradoxes, semblent auprès d'elles banalités et lieux communs :

« Le péché, disent-ils, est moindre de massacrer mille hommes que de coudre le soulier d'un pauvre le dimanche. Il serait plutôt permis de laisser périr l'univers entier, avec tout ce qu'il contient, que de dire un tout petit mensonge, si léger fût-il. » Des subtilités plus subtiles encore encombrent les voies où vous conduisent les innombrables scolastiques. Le tracé d'un labyrinthe est moins compliqué que les tortueux détours des réalistes [395], nominalistes [396], thomistes [397], albertistes [398], occamistes [399], scotistes [400], et tant d'écoles dont je ne nomme que les principales. Leur érudition à toutes est si compliquée que les Apôtres eux-mêmes auraient besoin de recevoir un autre Saint-Esprit pour disputer de tels sujets avec ces théologiens d'un nouveau genre.

Saint Paul, reconnaissent-ils, a eu la foi, mais il la définit bien peu magistralement en disant : « La foi est la substance de l'espérance et la conviction des choses invisibles [401]. Il pratiquait parfaitement la charité, mais il ne l'a ni divisée, ni définie selon la dialectique, dans la première épître aux Corinthiens, chapitre XIII. Les Apôtres, assurément, consacraient avec piété l'Eucharistie ; mais qu'auraient-ils répondu sur le terme *a quo* et le terme *ad quem*, sur la transsubstantiation, sur la présence du même corps en des lieux divers, sur les différences du corps du Christ au Ciel, sur la Croix et dans le Sacrement, sur l'instant où se produit la transsubstantiation et celles des paroles opérantes qui y suffisent. N'en doutons pas, les réponses des Apôtres eussent été beaucoup moins subtiles que les dissertations et définitions des Scotistes. Ils connaissent la Mère de Jésus, mais qui d'entre eux a démontré son exemption de la souillure d'Adam aussi philosophiquement que l'ont fait nos théologiens [402] ? Pierre a reçu les clefs [403], et certainement de Celui qui ne les eût pas confiées à un indigne; cependant, je ne sais s'il aurait compris cette idée subtile que l'être qui ne possède pas la science peut en avoir la clef [404]. Les Apôtres baptisaient en tous lieux; pourtant, ils n'ont enseigné nulle part quelle est la cause formelle, matérielle, efficiente et finale du baptême; ils n'ont jamais fait mention de son caractère délébile et indélébile. Ils adoraient, certes, mais en esprit, se bornant à suivre cette parole évangélique [405] : « Dieu est esprit et doit être adoré en esprit et en vérité. » Il ne semble pas qu'on leur ait révélé qu'une adoration pareille soit due à une médiocre image tracée au charbon sur un mur et qui montre le Christ lui-même, pourvu qu'elle présente les deux doigts levés, de longs cheveux et trois rayons adhérents à l'occiput. Pour connaître ces choses, ne faut-il pas avoir étudié au moins trente-six ans la physique et la métaphysique d'Aristote et de Scot ?

Les Apôtres nomment la grâce, mais jamais ils ne distinguent la grâce donnée gratuitement de la grâce gratifiante. Ils encouragent aux bonnes œuvres sans discerner la différence entre l'œuvre opérante et l'œuvre opérée. Ils enseignent la charité, sans savoir séparer l'infuse de l'acquise, sans expliquer si elle est accident ou substance, chose créée ou incréée. Ils détestent le péché, mais ce que nous appelons le péché, que je meure s'ils ont su en donner une définition scientifique ! Il leur manque d'avoir étudié chez les Scotistes. Qui me fera croire que saint Paul, par qui nous jugeons du savoir de tous, eût condamné si souvent les questions [406], discussions [407], généalogies [408], et ce qu'il appelle les querelles de mots [409], s'il avait été lui-même initié à ces arguties ? Et cependant, les disputes d'alors étaient bien médiocres et bien grossières en regard de celles de nos maîtres, plus subtils que Chrysippe [410] lui-même.

Ces docteurs cependant se montrent assez modestes pour ne pas condamner ce que les Apôtres ont écrit d'imparfait et de peu magistral ; on consent à honorer à la fois l'antiquité et le nom apostolique ; et, en vérité, il ne serait pas juste d'attendre des Apôtres le grand enseignement dont leur Maître ne leur a jamais dit mot. Mais, quand la même insuffisance se révèle dans Chrysostome [411], Basile [412] ou Jérôme [413], il faut bien noter au passage : « Ce n'est pas reçu. » C'est seulement par leur vie et leurs miracles que ces Pères ont refuté les philosophes ethniques [414] fort obstinés de nature [415], ceux-ci étant incapables de comprendre le moindre *quodlibetum* [416] de Scot. Mais aujourd'hui, quel païen, quel hérétique ne rendrait aussitôt les armes devant tant de cheveux coupés en quatre ? Il en est, il est vrai, d'assez obtus pour ne pas entendre nos docteurs, d'assez impertinents pour les siffler, ou même d'assez bons dialecticiens pour soutenir le combat. Ce sont alors magiciens contre magiciens, luttant chacun avec un glaive enchanté et n'arrivant à rien qu'à remettre sans fin au métier l'ouvrage de Pénélope.

Si les chrétiens m'écoutaient, à la place des lourdes armées qui, depuis si longtemps, n'arrivent pas à vaincre, ils enverraient contre les Turcs et les Sarrasins les très bruyants Scotistes, les très entêtés Occamistes [417], les invincibles Albertistes [418] et tout le régiment des Sophistes; et l'on assisterait, à mon avis, à la plus divertissante bataille et à une victoire d'un genre inédit. Quelle frigidité ne s'échaufferait à leur contact ? Quelle inertie ne céderait à leurs aiguillons ? Et qui serait assez malin pour se débrouiller dans leurs ténèbres ?

Mais vous croyez que je dis tout cela par moquerie ? Ce serait naturel, puisque les théologiens instruits aux bonnes lettres ont eux-mêmes la nausée de ces subtilités théologiques, et les jugent balivernes. Il en est qui regardent comme exécrable et presque sacrilège, et d'une suprême impiété, de traiter si irrévérencieusement des choses saintes, qui appellent l'adoration plutôt que l'explication, d'en discuter avec les mêmes profanes arguties que les païens, de les définir avec tant d'arrogance, et de souiller de paroles si vaines et de pensées si sordides la majesté de la divine Théologie. Malgré cette opposition, nos gens jouissent d'eux-mêmes et se congratulent, nuit et jour absorbés par d'aimables bouffonneries, qui ne leur laissent même pas le temps de feuilleter une fois l'Évangile ou les épîtres de saint Paul. Et tandis que, dans les universités, ils s'amusent à ces sornettes, ils estiment que l'Église entière s'étale sur leurs syllogismes et qu'elle s'écroulerait sans eux, comme les poètes disent qu'Atlas soutient le ciel sur ses épaules.

Vous jugez de leur félicité! Ils pétrissent et repétrissent à leur gré, comme de la cire, les Lettres sacrées; ils présentent leurs conclusions, approuvées déjà par quelques scolastiques, comme supérieures aux lois de Solon et même préférables aux décrets pontificaux; ils se font les censeurs du monde et exigent qu'on rétracte tout ce qui ne s'adapte pas exactement à leurs propres conclusions explicites et implicites; enfin, ils prononcent leurs oracles : « Cette proposition est scandaleuse; cette autre est irrévérencieuse; celle-ci sent l'hérésie; celle-là sonne mal. » Aussi, ni le baptême ni l'Évangile, ni saint Paul ou saint Pierre, ni saint Jérôme ou saint Augustin, ni même saint Thomas, l'aristotélicien suprême, ne sauraient faire un chrétien, s'il ne s'ajoute à leur enseignement l'autorité de ces bacheliers grands juges en subtilités. Croirait-on qu'il n'est pas chrétien de dire équivalentes ces deux formules : « pot de chambre, tu pues » et « le pot de chambre pue »[419] ? De même, « bouillir à la marmite » ou « bouillir dans la marmite »; ce ne sera la même chose que si ces savants l'ont enseigné. De tant d'erreurs, à la vérité inaperçues jusqu'à eux, qui donc eût purgé l'Église, s'ils ne les avaient signalées sous les grands sceaux des universités ! Combien ils sont heureux, quand ils exercent cette activité, et lorsqu'ils décrivent minutieusement toutes les choses de l'Enfer, comme s'ils avaient passé des années au sein de cette république; et lorsqu'ils fabriquent, à leur fantaisie, des sphères nouvelles [420], en ajoutant la plus étendue et la plus belle, afin que l'espace ne manque pas aux âmes bienheureuses pour se promener, banqueter ou jouer à la paume ! De telles sottises et mille autres semblables leur bourrent et farcissent le cerveau au point que celui de Jupiter était moins surchargé, lorsqu'il implora la hache de Vulcain pour accoucher de Pallas [421]. Ne vous étonnez donc pas de les voir, aux jours de controverses publiques, la tête si serrée dans leur bonnet [422], puisque sans cela elle sauterait en éclats.

Je ris souvent, à part moi, en constatant de quelle façon ils établissent leur supériorité théologique. C'est à qui emploiera le langage le plus barbare et le plus grossier; c'est à qui balbutiera au point de n'être entendu que par un bègue. Ils se disent profonds quand le public ne peut les suivre; ils jugent même indigne des Lettres sacrées de plier leur style aux lois des grammairiens [423]. Ce serait l'étrange prérogative des théologiens d'être seuls à parler incorrectement, s'ils ne la partageaient avec une foule de gens du peuple. Enfin, ils se croient voisins des Dieux, chaque fois qu'on les salue avec dévotion du titre de *magister noster*. Le mot, à leur avis, équivaut au tétragramme des Juifs [424]; aussi défendent-ils de l'écrire autrement qu'en majuscules et, si quelqu'un l'intervertissait en *noster magister*, il léserait assurément la majesté du nom théologique [425].

LIV. — Aussitôt après le bonheur des théologiens, vient celui des gens vulgairement appelés Religieux ou Moines, par une double désignation fausse, car la plupart sont fort loin de la religion et personne ne circule davantage en tous lieux que ces prétendus solitaires [426]. Ils seraient, à mon sens, les plus malheureux des hommes, si je ne les secourais de mille manières. Leur espèce est universellement exécrée, au point que leur rencontre fortuite passe pour porter malheur, et pourtant ils ont d'eux-mêmes une opinion magnifique. Ils estiment que la plus haute piété est de ne rien savoir, pas même lire. Quand ils braient comme des ânes dans les églises, en chantant leurs psaumes qu'ils numérotent sans les comprendre, ils croient réjouir les oreilles des personnes célestes. De leur crasse et de leur mendicité beaucoup se font gloire; ils beuglent aux portes pour avoir du pain; ils encombrent partout les auberges, les voitures, les bateaux, au grand dommage des autres mendiants. Aimables gens qui prétendent rappeler les Apôtres par de la saleté et de l'ignorance, de la grossièreté et de l'impudence!

Le plus drôle est que tous leurs actes suivent une règle et qu'ils croiraient faire péché grave s'ils s'écartaient le moins du monde de sa rigueur mathématique : combien de nœuds à la sandale, quelle couleur à la ceinture, quelle bigarrure au vêtement, de quelle étoffe la ceinture et de quelle largeur, de quelle forme le capuchon et de quelle capacité en boisseaux, de combien de doigts la largeur de la tonsure, et combien d'heures pour le sommeil! Qui ne voit à quel point cette égalité est inégale, exigée d'êtres si divers au physique et au moral ? Ces niaiseries, pourtant, les enorgueillissent si fort qu'ils méprisent tout le monde et se méprisent d'un ordre à l'autre. Des hommes, qui professent la charité apostolique, poussent les hauts cris pour un habit différemment serré, pour une couleur un peu plus sombre. Rigidement attachés à leurs usages, les uns ont le froc de laine de Cilicie [427] et la chemise de toile de Milet [428], les autres portent la toile en dessus, la laine en dessous. Il en est qui redoutent comme un poison le contact de l'argent, mais nullement le vin ni les femmes. Tous ont le désir de se singulariser par leur genre de vie. Ce qu'ils ambitionnent n'est pas de ressembler au Christ, mais de se différencier entre eux. Leurs surnoms aussi les rendent considérablement fiers : entre ceux qui se réjouissent d'être appelés Cordeliers [429], on distingue les Coletans [430], les Mineurs [431], les Minimes [432], les Bullistes [433]. Et voici les Bénédictins [434], les Bernardins [435], les Brigittins [436], les Augustins [437], les Guillemites [438], les Jacobins [439], comme s'il ne suffisait pas de se nommer Chrétiens!

Leurs cérémonies, leurs petites traditions tout humaines, ont à leurs yeux tant de prix que la récompense n'en saurait être que le ciel. Ils oublient que le Christ, dédaignant tout cela, leur demandera seulement s'ils ont obéi à sa loi, celle de la charité. L'un étalera sa panse gonflée de poissons de toute sorte; l'autre videra cent boisseaux de psaumes; un autre comptera ses myriades de jeûnes, où l'unique repas du jour lui remplissait le ventre à crever; un autre fera de ses pratiques un tas assez gros pour surcharger sept navires; un autre se glorifiera de n'avoir pas touché à l'argent pendant soixante ans, sinon avec les doigts gantés; un autre produira son capuchon, si crasseux et si sordide qu'un matelot ne le mettrait pas sur sa peau; un autre rappellera qu'il a vécu plus de onze lustres au même lieu [440], attaché comme une éponge; un autre prétendra qu'il s'est cassé la voix à force de chanter; un autre qu'il s'est abruti par la solitude ou qu'il a perdu, dans le silence perpétuel, l'usage de la parole.

Mais le Christ arrêtera le flot sans fin de ces glorifications : « Quelle est, dira-t-il, cette nouvelle espèce de Juifs ? Je ne reconnais qu'une loi pour la mienne; c'est la seule dont nul ne me parle. Jadis, et sans user du voile des paraboles, j'ai promis clairement l'héritage de mon Père, non pour des capuchons, petites oraisons ou abstinences, mais pour les œuvres de foi et de charité. Je ne connais pas ceux-ci, qui connaissent trop leurs mérites; s'ils veulent paraître plus saints que moi, qu'ils aillent habiter à leur gré le ciel des Abraxasiens [441] ou s'en faire construire un nouveau par ceux dont ils ont mis les mesquines traditions au-dessus de mes préceptes! » Quand nos gens entendront ce langage et se verront préférer des matelots et des rouliers, quelle tête feront-ils en se regardant ?

En attendant, grâce à moi, ils jouissent de leur espérance. Et, bien qu'ils soient étrangers à la chose publique, personne n'ose leur témoigner de mépris, surtout aux Mendiants qui détiennent les secrets de tous, par ce qu'ils appellent les confessions. Ils se font un crime, il est vrai, d'en trahir le secret, à moins toutefois qu'ils n'aient bu et se veuillent divertir d'histoires plaisantes; ils laissent alors le champ aux suppositions, sans livrer les noms. N'irritez pas ces guêpes; ils se vengeraient dans leurs sermons où ils désignent un ennemi par des allusions indirectes, mais que tout le monde saisit pour peu qu'on sache comprendre. Ils ne cesseront d'aboyer que si on leur met la pâtée dans la bouche [442].

Quel comédien, quel bateleur, trouverez-vous plus forts que ces prédicateurs, rhéteurs ridicules assurément, mais habiles à singer les usages traditionnels de la rhétorique ? Comme ils gesticulent, Dieux immortels! Comme ils savent adapter la voix, et fredonner, et s'agiter, et changer successivement l'expression de leur visage, et à tout bout de champ s'exclamer! Ces recettes pour prêcher sont un secret que les petits frères se passent de main en main. Sans y être initiée, voici ce que je m'en figure. Ils commencent par une invocation, usage appris des poètes; puis, s'ils ont à parler sur la charité, ils tirent leur exorde du Nil, fleuve d'Égypte; s'ils racontent le mystère de la Croix, ils ont recours avec à-propos au dragon Bel [443] de Babylone; s'il s'agit du jeûne, ils rappellent les douze signes du Zodiaque; et, voulant parler de la Foi, ils s'étendent longuement sur la quadrature du cercle.

J'ai moi-même entendu un fou tout à fait réussi — excusez-moi, je voulais dire un savant homme — expliquer dans une assemblée fameuse le mystère de la Sainte Trinité. Pour établir combien sa science était raffinée, et satisfaire les oreilles théologiennes, il s'engagea dans une voie vraiment nouvelle : il parla de l'alphabet, des syllabes, des parties du discours, de l'accord du sujet et du verbe, de celui de l'adjectif et du substantif. Beaucoup s'étonnaient, et quelques-uns chuchotaient entre eux le mot d'Horace : « Où mènent toutes ces fadaises ? [444] » Il en déduisit que la Sainte Trinité se trouve tout entière figurée dans le rudiment des grammairiens, et que les figures mathématiques ne représenteraient pas ce mystère avec plus de clarté. A mettre sur pied son discours, ce suprême théologien avait passé huit mois pleins; il en est devenu aujourd'hui plus aveugle qu'une taupe [445], toute l'acuité de ses yeux s'étant usée sans doute à la pointe de son esprit. Notre homme ne regrette nullement cette infirmité et trouve qu'il a payé bon marché sa gloire.

J'en ouïs un autre, celui-là octogénaire et si fort théologien que vous auriez cru Scot ressuscité. Ayant à expliquer le mystère du nom de Jésus, il démontra avec une subtilité admirable que les lettres de ce mot renferment tout ce qu'on peut dire de Jésus lui-même. Sa terminaison change à trois cas, ce qui est l'évident symbole de la Trinité divine. La première forme, *Jesus*, se termine en *s*, la seconde, *Jesum*, en *m*, la troisième, *Jesu*, en *u*, ce qui cache un ineffable mystère : ces trois petites lettres indiquent, en effet, que Jésus est le commencement *(summum)*, le milieu *(medium)* et la fin *(ultimum)*. Elles contiennent un secret plus profond encore et qui tient aux mathématiques. L'orateur divisa, en effet, le nom de Jésus en deux parties égales, isolant la lettre *s* qui reste au milieu; il montra que cette lettre est celle que les Hébreux appellent *syn*, mot qui, en langue écossaise [446], je crois, signifie *péché ;* il en tira que, de toute évidence, Jésus devait effacer les péchés du monde! Un exorde si neuf stupéfia tellement les auditeurs que les théologiens notamment furent bien près de subir le sort de Niobé [447]. Pour moi, il faillit m'arriver l'accident de ce Priape de figuier, qui eut l'infortune d'assister aux rites nocturnes de Canidie et de Sagana [448].

Véritablement, il y avait de quoi rire. Jamais le Grec Démosthène ni le Latin Cicéron n'auraient débuté de telle sorte; ils tenaient pour vicieux l'exorde étranger au sujet [449]; ce n'est pas non plus ainsi que commencent leurs discours les gardeurs de cochons, bons élèves de la Nature. Mais nos savants veulent faire, de ce qu'ils appellent leur « préambule », un chef-d'œuvre de rhétorique; ils croient avoir réussi, s'ils en ont exclu tout rapport avec le sujet, et si l'auditeur émerveillé chuchote : « Comment va-t-il en sortir [450] ? ».

En troisième lieu, s'ils tirent à la hâte quelque chose de l'Évangile, c'est un bout de récit en passant, alors que l'expliquer devrait être leur unique tâche. En quatrième lieu, changeant de rôle, ils agitent une question de théologie, souvent aussi étrangère au ciel qu'à la terre [451]. C'est même, d'après eux, suivre une règle de l'art. Enfin, étalant la morgue théologique, ils cornent aux oreilles les titres pompeux de docteurs solennels, docteurs subtils, docteurs très subtils, docteurs séraphiques, docteurs saints, docteurs irréfragables. Ils imposent au vulgaire incompétent syllogismes, majeures, mineures, conclusions, corollaires, suppositions, froides fadaises scolastiques. Il reste le cinquième acte où l'artiste doit se surpasser. Et le voilà jetant une sotte fable sans esprit, tirée par exemple du *Speculum historiale* [452] ou des *Gesta Romanorum* [453], et l'interprétant successivement par l'allégorie [454], la tropologie [455] et l'analogie [456]; ainsi achève-t-il de fabriquer sa chimère, un monstre tel qu'Horace n'avait pu le rêver, lorsqu'il écrivait : « Ajoutez à la tête humaine, etc... [457] ».

Mais je ne sais qui leur a appris qu'il faut prononcer l'exorde d'une voix posée et sans éclats; ils commencent donc d'un ton si bas qu'à peine entendent-ils le son de leur voix. Comme s'il y avait le moindre intérêt à parler pour n'être compris de personne! Ils ont ouï dire que pour émouvoir il faut user d'exclamations; on les voit donc passer brusquement, et sans nul besoin, de la parole calme au cri furieux. On administrerait de l'ellébore à quiconque crierait ainsi hors de propos. Ensuite, on leur a dit qu'il convient de s'échauffer progressivement en parlant; lorsqu'ils ont récité tant bien que mal le début de chaque partie, leur voix s'enfle tout à coup prodigieusement pour dire les choses les plus simples; ils en ont perdu le souffle quand s'achève leur discours. Enfin, sachant que la rhétorique utilise le rire, ils s'étudient à égayer leur texte de quelques plaisanteries. Que de grâces, ô chère Aphrodite! et que d'à-propos, et comme c'est bien l'âne qui joue de la lyre [458]! Il leur arrive aussi de réprimander, mais ils caressent plus qu'ils ne blessent, sachant qu'on ne flatte jamais mieux qu'en affichant une franche critique. Somme toute, on jugerait à les ouïr que leurs maîtres furent les charlatans de la foire, au reste bien supérieurs à eux. Ils se ressemblent si fort, en tout cas, qu'il faut bien que les uns ou les autres aient été les professeurs de cette commune rhétorique. Néanmoins, par mes bons offices, ces bavards trouvent des admirateurs qui les prennent pour des Démosthène et des Cicéron. Ils en rencontrent surtout chez les marchands et les femmelettes, dont leurs flatteries assiègent les oreilles. Les premiers, s'ils sont suffisamment flagornés, leur laissent une petite part des biens mal acquis; les autres ont maint motif de les aimer, surtout l'agrément de s'épancher dans leur sein et d'y déblatérer contre leur mari.

Vous voyez, je pense, combien me doivent ces gens-là, qui, par leurs mômeries, leurs ridicules fadaises et leurs criailleries, exercent une sorte de tyrannie parmi les hommes et se croient des Paul [459] et des Antoine [460].

LV. — Je suis bien aise maintenant de quitter des histrions, dont l'ingratitude dissimule mes bienfaits et dont l'hypocrisie joue la piété.

Depuis longtemps, je désirais vous parler des Rois et des Princes de cour; eux, du moins, avec la franchise qui sied à des hommes libres, me rendent un culte sincère.

A vrai dire, s'ils avaient le moindre bon sens, quelle vie serait plus triste que la leur et plus à fuir ? Personne ne voudrait payer la couronne du prix d'un parjure ou d'un parricide, si l'on réfléchissait au poids du fardeau que s'impose celui qui veut vraiment gouverner. Dès qu'il a pris le pouvoir, il ne doit plus penser qu'aux affaires politiques et non aux siennes [461], ne viser qu'au bien général, ne pas s'écarter d'un pouce [462] de l'observation des lois qu'il a promulguées et qu'il fait exécuter, exiger l'intégrité de chacun dans l'administration et les magistratures. Tous les regards se tournent vers lui, car il peut être, par ses vertus, l'astre bienfaisant qui assure le salut des hommes ou la comète mortelle qui leur apporte le désastre. Les vices des autres n'ont pas autant d'importance et leur influence ne s'étend pas si loin; mais le Prince occupe un tel rang que ses moindres défaillances répandent le mauvais exemple universel. Favorisé par la fortune, il est entouré de toutes les séductions; parmi les plaisirs, l'indépendance, l'adulation, le luxe, il a bien des efforts à faire, bien des soins à prendre, pour ne point se tromper sur son devoir et n'y jamais manquer. Enfin, vivant au milieu des embûches, des haines, des dangers, et toujours en crainte, il sent au-dessus de sa tête le Roi véritable, qui ne tardera pas à lui demander compte de la moindre faute, et sera d'autant plus sévère pour lui qu'il aura exercé un pouvoir plus grand.

En vérité, si les princes se voyaient dans cette situation, ce qu'ils feraient s'ils étaient sages, ils ne pourraient, je pense, goûter en paix ni le sommeil, ni la table. C'est alors que j'apporte mon bienfait : ils laissent aux Dieux l'arrangement des affaires [463], mènent une vie de mollesse et ne veulent écouter que ceux qui savent leur parler agréablement et chasser tout souci des âmes. Ils croient remplir pleinement la fonction royale, s'ils vont assidûment à la chasse, entretiennent de beaux chevaux, trafiquent à leur gré des magistratures et des commandements, inventent chaque jour de nouvelles manières de faire absorber par leur fisc la fortune des citoyens, découvrent les prétextes habiles qui couvriront d'un semblant de justice la pire iniquité. Ils y joignent, pour se les attacher, quelques flatteries aux masses populaires.

Représentez-vous maintenant le Prince tel qu'il est fréquemment. Il ignore les lois, est assez hostile au bien général, car il n'envisage que le sien; il s'adonne aux plaisirs, hait le savoir, l'indépendance et la vérité, se moque du salut public et n'a d'autres règles que ses convoitises et son égoïsme. Donnez-lui le collier d'or, symbole de la réunion de toutes les vertus, la couronne ornée de pierres fines, pour l'avertir de l'emporter sur tous par un ensemble de vertus héroïques; ajoutez-y le sceptre, emblème de la justice et d'une âme incorruptible, enfin la pourpre, qui signifie le parfait dévouement à l'État. Un prince qui saurait comparer sa conduite à ces insignes de sa fonction, rougirait, ce me semble, d'en être revêtu et redouterait qu'un malicieux interprète ne vînt tourner en dérision tout cet attirail de théâtre.

LVI. — Que dirai-je des Gens de cour ? Il n'y a rien de plus rampant, de plus servile, de plus sot, de plus vil que la plupart d'entre eux, et ils n'en prétendent pas moins au premier rang partout. Sur un point seulement, ils sont très réservés; satisfaits de mettre sur leur corps l'or, les pierreries, la pourpre et les divers emblèmes des vertus et de la sagesse, ils laissent de celles-ci la pratique à d'autres. Tout leur bonheur est d'avoir le droit d'appeler le roi « Sire », de savoir le saluer en trois paroles, de prodiguer des titres officiels où il est question de Sérénité, de Souveraineté, de Magnificence. Ils s'en barbouillent le museau, s'ébattent dans la flatterie; tels sont les talents essentiels du noble et du courtisan.

Si vous y regardez de plus près, vous verrez qu'ils vivent comme de vrais Phéaciens, des prétendants de Pénélope [464]; vous connaissez la fin du vers qu'Écho vous dira mieux que moi. Ils dorment jusqu'à midi; un petit prêtre à leurs gages, qui attend auprès du lit, leur expédie, à peine levés, une messe hâtive. Sitôt le déjeuner fini, le dîner les appelle. Puis ce sont les dés, les échecs, les devins, les bouffons, les filles, les amusements et les bavardages. Entre-temps, une ou deux collations; puis on se remet à table pour le souper, qui est suivi de beuveries. De cette façon, sans risque d'ennui, s'écoulent les heures, les jours, les mois, les années, les siècles. Moi-même je quitte avec dégoût ces hauts personnages, qui se croient de la compagnie des Dieux et s'imaginent être plus près d'eux quand ils portent une traîne plus longue. Les grands jouent des coudes à l'envi pour se faire voir plus rapprochés de Jupiter, n'aspirant qu'à balancer à leur cou une chaîne plus lourde, étalant ainsi à la fois la force physique et l'opulence.

LVII. — Dignes rivaux des princes, voici les Souverains Pontifes, les cardinaux et les évêques. Ils en sont presque à les dépasser. Qu'un d'entre eux pourtant réfléchisse, il verra que son beau rochet, blanc comme la neige, est l'emblème d'une vie sans tache; que sa mitre aux deux cornes réunies par un même nœud suppose en lui la connaissance égale et approfondie du Nouveau et de l'Ancien Testament; que les gants dont il couvre ses mains indiquent qu'il doit être pur de toute souillure pour administrer les sacrements; que sa crosse pastorale symbolise la vigilance sur son troupeau; que la croix portée devant lui signifie la victoire sur toutes les passions humaines. S'il pense à ces choses et à bien d'autres, ne vivra-t-il pas dans la tristesse et dans l'anxiété ? Aujourd'hui, tout au contraire, ces pasteurs ne font rien que se bien nourrir. Ils laissent le soin du troupeau au Christ lui-même, ou aux dénommés frères, ou à leurs vicaires. Ils oublient que leur nom d'évêque signifie labeur, vigilance, sollicitude. Ces qualités leur servent pour mettre la main sur l'argent, car c'est alors qu'ils ouvrent l'œil [465].

LVIII. — De même, les cardinaux pourraient songer qu'ils sont les successeurs des Apôtres, qui leur imposent de continuer leur apostolat, et qu'ils ne sont pas les possesseurs, mais les dispensateurs des biens spirituels, dont ils auront bientôt à rendre un compte rigoureux. S'ils philosophaient, si peu que ce fût, sur leur costume et se disaient : « Que signifie ce rochet, sinon la parfaite pureté des mœurs ? cette robe de pourpre, sinon le plus ardent amour de Dieu ? ce vaste manteau aux larges plis [466], qui couvre jusqu'à la mule du révérendissime et pourrait encore revêtir un chameau, sinon l'immense charité qui doit se répandre sur tous et subvenir à tous les besoins : instruire, exhorter, consoler, corriger, avertir, mettre fin aux guerres, résister aux mauvais princes, et sacrifier généreusement pour le troupeau du Christ non seulement ses richesses, mais son sang ? et qu'est-il besoin de richesses pour qui tient le rôle des pauvres Apôtres [467] ? Si les cardinaux, dis-je, réfléchissaient à tout cela, loin d'ambitionner le rang qu'ils occupent, ils le quitteraient sans regret et préféreraient mener la vie de labeur et de dévouement qui fut celle des anciens Apôtres.

LIX. — Si les Souverains Pontifes, qui sont à la place du Christ, s'efforçaient de l'imiter dans sa pauvreté, ses travaux, sa sagesse, sa croix et son mépris de la vie, s'ils méditaient sur le nom de Pape [468], qui signifie Père, et sur le titre de Très-Saint qu'on leur donne, ne seraient-ils pas les plus malheureux des hommes ? Celui qui emploie toutes ses ressources à acheter cette dignité ne doit-il pas la défendre ensuite par le fer, le poison et la violence ? Que d'avantages à perdre, si la sagesse, un jour, entrait en eux! et pas même la sagesse, mais un seul grain de ce sel dont le Christ a parlé [469]. Tant de richesses, d'honneurs, de trophées, d'offices, dispenses, impôts, indulgences, tant de chevaux, de mules, de gardes, et tant de plaisirs, vous voyez quel trafic, quelle moisson, quel océan de biens j'ai fait tenir en peu de mots! Il faudrait mettre à la place les veilles, les jeûnes, les larmes, les oraisons, les sermons, l'étude et la pénitence, mille incommodités fâcheuses. Que deviendraient aussi, ne l'oublions pas, tant de scripteurs, de copistes, de notaires, d'avocats, de promoteurs, de secrétaires, de muletiers, de palefreniers, de maîtres d'hôtel, d'entremetteurs, je dirais un mot plus vif, mais ne blessons pas les oreilles ? Cette multitude immense, qui est à la charge du Siège romain, je me trompe, qui a des charges auprès du Siège romain, serait réduite à la famine. Il serait donc inhumain, abominable et infiniment détestable que les grands chefs de l'Église, véritables lumières du monde, soient ramenés au bâton et à la besace.

Aujourd'hui, la partie laborieuse de leur fonction, ils l'abandonnent à peu près à saint Pierre et à saint Paul, qui ont des loisirs; ils gardent la part de la représentation et des agréments. Grâce à moi, par conséquent, il n'y a pas d'hommes vivant plus délicieusement. Personne n'a moins de soucis, puisqu'ils croient donner assez au Christ, s'ils se montrent dans leur pompe rituelle et presque théâtrale, revêtus des titres de Béatitude, de Révérence et de Sainteté, et font les évêques aux cérémonies en bénissant et anathématisant. Faire des miracles est un vieil usage désuet, qui n'est plus de notre temps; enseigner les peuples est fatigant; l'interprétation de l'Écriture Sainte appartient aux écoles; prier est oiseux; verser des larmes est affaire aux malheureux et aux femmes; vivre pauvrement fait mépriser; subir la défaite est une honte indigne de celui qui admet à peine les plus grands rois à baiser ses pieds; mourir enfin est chose dure, et, sur la croix, ce serait infamant.

Les seules armes qui leur restent sont les douces bénédictions, dont parle saint Paul [470], et qu'ils sont fort enclins à prodiguer, les interdits, suspensions, aggravations [471], anathèmes, peintures vengeresses [472], et cette foudre terrible qui leur fait d'un seul geste précipiter les âmes au-dessous même du Tartare. Ces très saints pères dans le Christ, ces vicaires du Christ, ne frappent jamais plus fort que sur ceux qui, à l'instigation du diable, tentent d'amoindrir ou de rogner les patrimoines de saint Pierre. Bien que cet apôtre ait dit dans l'Évangile [473] : « Nous avons tout quitté pour vous suivre », ils lui érigent en patrimoine des terres, des villes, des tributs, des péages, tout un royaume. Pour conserver tout cela, enflammés de l'amour du Christ, ils combattent par le fer et par le feu et font couler des flots de sang chrétien. Ils croient défendre en apôtres l'Église, épouse du Christ, lorsqu'ils mettent en pièces ceux qu'ils nomment ses ennemis. Comme si les plus pernicieux ennemis de l'Église n'étaient pas les pontifes impies, qui font oublier le Christ par leur silence, l'enchaînent dans des lois de trafic, dénaturent son enseignement par des interprétations forcées et l'assassinent par leur conduite scandaleuse!

L'Église chrétienne ayant été fondée par le sang, confirmée par le sang, accrue par le sang, ils continuent à en verser, comme si le Christ ne saurait pas défendre les siens à sa manière. La guerre est chose si féroce qu'elle est faite pour les bêtes et non pour les hommes; c'est une démence envoyée par les Furies, selon la fiction des poètes [474], une peste qui détruit les mœurs partout où elle passe, une injustice, puisque les pires bandits sont d'habitude les meilleurs guerriers, une impiété qui n'a rien de commun avec le Christ. Les Papes, cependant, négligent tout pour en faire leur occupation principale. On voit parmi eux des vieillards décrépits [475] y porter l'ardeur de la jeunesse, jeter l'argent, braver la fatigue, ne reculer devant rien pour mettre sens dessus dessous les lois, la religion, la paix, l'humanité tout entière. Ils trouveront ensuite maint docte adulateur pour décorer cette évidente aberration du nom de zèle, de piété, de courage, pour démontrer par raisonnement comment on peut dégainer un fer meurtrier et le plonger dans les entrailles de son frère, sans manquer le moins du monde à cette charité parfaite que le Christ exige du chrétien envers son prochain.

LX. — Ont-ils donné l'exemple ou suivi celui de certains évêques d'Allemagne? Ceux-ci, abandonnant le culte, les bénédictions et les cérémonies, font ouvertement les satrapes, et croiraient indigne de l'épiscopat de rendre à Dieu, ailleurs que sur un champ de bataille, leur âme guerrière. Le commun des prêtres, dans la grande crainte de ne pas égaler en sainteté leurs prélats, combattent en véritables soldats pour la défense de leurs dîmes : épées, javelots, frondes, toute espèce d'armes leur convient. Comme ils s'entendent à découvrir dans les vieux parchemins le texte qui leur permettra d'intimider le populaire et de lui faire accroire qu'on leur doit la dîme et plus encore ! Quant à leurs devoirs envers ce même peuple, ils sont écrits partout ; mais ils oublient de les lire. La tonsure ne leur fait pas songer que le prêtre doit être affranchi de toutes les passions mondaines et ne s'attacher qu'aux choses célestes. Au contraire, ces gens de plaisir se croient en règle avec leur conscience, dès qu'ils ont marmonné leurs oraisons. Et comment un Dieu pourrait-il les entendre ou les comprendre, puisque eux-mêmes, le plus souvent, ne s'entendent ni ne se comprennent, même s'ils crient très fort !

Ils ont cela de commun avec les laïques qu'ils sont également âpres à la récolte de l'argent et habiles à imposer la reconnaissance de leurs droits. S'il est une fonction pénible, ils la rejettent prudemment sur les épaules d'autrui et se renvoient la balle les uns aux autres. Beaucoup ressemblent aux princes laïques qui délèguent les soins du gouvernement à des ministres, lesquels repassent la délégation à des commis ; c'est sans doute par modestie que les prêtres concèdent aux fidèles toutes les œuvres de piété ; le fidèle les renvoie à ces gens qu'il dit ecclésiastiques, comme s'il se mettait lui-même hors de l'Église, les vœux de son baptême n'ayant été qu'une vaine cérémonie. Bien des prêtres, à leur tour, se font appeler séculiers, semblant ainsi se vouer au siècle, non au Christ ; ils rejettent donc leurs charges sur les réguliers ; ceux-ci sur les moines ; les moines relâchés sur ceux de stricte observance ; tous ensemble sur les Mendiants ; et les Mendiants sur les Chartreux [476], les seuls chez qui la piété se cache, et se cache même si bien qu'on ne saurait l'apercevoir. Pareillement, les papes, si diligents moissonneurs d'argent, renvoient les travaux apostoliques aux évêques, ceux-ci aux curés, ceux-là aux vicaires ; les vicaires aux frères mendiants, et ces derniers s'en débarrassent sur ceux qui savent tondre la laine des brebis.

Mais il n'est pas dans mon sujet d'examiner la vie des papes et des prêtres, j'aurais l'air de composer une satire au lieu de mon propre éloge, et l'on pourrait croire qu'en louant les mauvais princes j'ai l'intention de censurer les bons. Le peu que j'ai dit de chaque état démontre seulement que nul homme ne peut vivre heureux s'il n'est initié à mes rites et honoré de ma faveur.

LXI. — Pourrait-il en être autrement, puisque la déesse de Rhamnunte [477], arbitre du bonheur et du malheur, a toujours comme moi combattu les sages et prodigué les biens aux fous, même endormis ? Vous connaissez ce Timothée à qui s'appliquaient si bien son surnom et le proverbe : « Il a fait sa pêche en dormant [478] », et cet autre encore : « Le hibou de Minerve vole pour moi [479] ». On dit, au contraire, des sages : « Ils sont nés au quatrième jour de la lune [480] », ou encore : « Ils montent le cheval de Séjan [481] », « ils possèdent l'or de Toulouse [482] ». Mais je m'arrête de multiplier les adages; j'aurais l'air de plagier le recueil qu'en a fait mon ami Érasme [483].

Disons la chose comme elle est; la Fortune aime les gens peu réfléchis, les téméraires, ceux qui disent volontiers : « Le sort en est jeté [484] ! » La Sagesse rend les gens timides; aussi trouvez-vous partout des sages dans la pauvreté, la faim, la vaine fumée; ils vivent oubliés, sans gloire et sans sympathie. Les fous, au contraire, regorgent d'argent, prennent le gouvernail de l'État et, en peu de temps, sur tous les points sont florissants. Si vous faites consister le bonheur à plaire aux princes [485] et à figurer parmi les courtisans, mes divinités couvertes de pierreries, quoi de plus inutile que la Sagesse, quoi de plus décrié chez ces gens-là ? Si ce sont des richesses que vous voulez acquérir, quel sera le gain du trafiquant inspiré par la Sagesse ? Il reculera devant un parjure; il rougira s'il est pris à mentir; il se ralliera plus ou moins, sur la fraude et l'usure, aux scrupules des sages. Si l'on ambitionne les dignités et les biens ecclésiastiques, ânes ou bestiaux y arriveront plus tôt qu'un sage; si l'on cherche le plaisir amoureux, la jeune femme, partie importante dans l'affaire, sera de tout son cœur avec le fou et s'éloignera du sage avec horreur comme d'un scorpion. Quiconque enfin veut jouir agréablement de la vie doit avant tout fuir le sage et fréquenter plutôt le premier animal venu. En somme, de quelque côté qu'on regarde, pontifes, princes, juges, magistrats, les amis, les ennemis, les grands et les petits, tous ne cherchent que l'argent comptant; comme le sage méprise l'argent, on a soin d'éviter sa compagnie.

Bien que mon éloge soit inépuisable, il est nécessaire pourtant qu'un discours ait une fin. Je vais donc m'arrêter, mais non sans vous montrer brièvement que de grands auteurs m'ont illustrée par leurs écrits et par leurs actes; après cela, on ne dira pas que je suis seule à m'admirer et les procéduriers ne me reprocheront pas de manquer de textes en ma faveur. Comme eux, d'ailleurs, j'en citerai à tort et à travers.

LXII. — Il est une maxime universellement admise : « Ce que tu n'as pas, fais semblant de l'avoir »; d'où l'on tire, pour les enfants, le vers que voici : « La plus grande sagesse est de paraître fou [486]. » Vous en concluez déjà quel grand bien est la Folie, puisque son ombre trompeuse et sa seule imitation suffisent à mériter ces doctes éloges. Plus franchement encore s'exprime ce gras et luisant compagnon du troupeau d'Épicure [487] (Horace), quand il vous recommande de mêler de la folie dans vos desseins [488], bien qu'il ait tort de la vouloir passagère. Il dit ailleurs : « Il est doux de déraisonner à propos [489] », et, ailleurs encore, il aime mieux paraître fou et ignorant que d'être sage et d'enrager [490]. Homère, qui couvre de louanges Télémaque, l'appelle souvent fol enfant [491], et sans cesse les poèmes tragiques appliquent l'heureuse épithète aux enfants et aux adolescents. Le poème sacré de l'*Iliade*, que conte-t-il, sinon les folles actions des rois et des peuples ? « Le monde est rempli de fous », dit Cicéron [492], et ce mot complète mon éloge, puisque le bien le plus répandu est le plus parfait.

LXIII. — De telles autorités sont-elles de peu de poids auprès des chrétiens ? J'étaierai alors mon éloge, je le fonderai, comme disent les doctes, sur le témoignage des Saintes Écritures. Que les théologiens me le pardonnent, la tâche est difficile, et ce serait le cas de faire de nouveau venir les Muses de l'Hélicon [493]; mais quel grand voyage pour un objet qui ne les concerne guère! Il me conviendrait mieux, sans doute, puisque je fais la théologienne et m'aventure parmi ces épines, d'évoquer en mon sein, du fond de sa Sorbonne [494], l'âme de Scot [495]. Plus épineuse que le porc-épic et le hérisson, elle s'en retournera ensuite où elle voudra, « chez les corbeaux », s'il lui plaît. Que ne puis-je changer aussi de visage et me parer de l'habit théologique! Mais je redoute qu'on m'accuse de larcin et de pillage clandestin dans les cassettes de nos docteurs, quand on me verra si forte en théologie. Il n'est pourtant pas étonnant qu'étant depuis si longtemps de leur intime compagnie j'aie attrapé quelque chose de leur savoir : Priape, dieu de figuier [496], a bien noté et retenu quelques mots grecs de ce que son maître lisait devant lui; et le coq de Lucien, à force de fréquenter les hommes, n'a-t-il pas appris le langage humain ? Commençons donc sous de bons auspices.

« Le nombre des fous est infini », écrit l'Ecclésiaste, au chapitre premier [497]. Ce mot paraît bien embrasser tous les hommes, sauf quelques-uns qu'on n'aperçoit guère. Jérémie est plus explicite encore, au chapitre X : « Tout homme devient fou par sa propre sagesse [498]. » Dieu seul est sage, selon lui [499], l'humanité entière étant folle. Il dit un peu plus haut [500] : « Que l'homme ne se glorifie point de sa sagesse! » Pourquoi le lui interdis-tu, brave Jérémie ? Tout simplement, répondra-t-il, parce que l'homme n'a pas de sagesse. Mais revenons à l'Ecclésiaste : « Vanité des vanités, s'écrie-t-il, et tout est vanité [501]! » Qu'entend-il ici, sinon que la vie humaine, selon ma formule, n'est qu'un jeu de la Folie ? C'est un caillou blanc [502] qu'il joint pour moi à la magnifique louange cicéronienne déjà citée [503] : « Le monde est rempli de fous. » Que signifie encore cette parole du docte Ecclésiastique : « Le fou change comme la lune, le sage demeure comme le soleil [504] ? » Tout simplement que le genre humain est fou et que Dieu immuable a seul l'attribut de la Sagesse; car la nature humaine est figurée par la lune et Dieu par le soleil, source de toute lumière. Le Christ lui-même, dans l'Évangile [505], ajoute que Dieu seul doit être appelé bon : si sagesse et bonté, comme le veulent les Stoïciens, sont des termes identiques, et si quiconque n'est pas sage est fou, tout ce qui est mortel dépend nécessairement de la Folie.

Salomon dit encore au chapitre XV [506] : « Sa folie fait la joie du fou », reconnaissant manifestement que, sans folie, la vie n'a aucun charme. A la même idée se rapporte ce passage [507] : « Qui ajoute à la science ajoute à la douleur; plus on connaît, plus on s'irrite. » L'excellent discoureur n'a-t-il pas exprimé une pensée semblable au chapitre VII [508] : « Le cœur des sages est avec la tristesse, le cœur des fous avec la joie. » C'est pourquoi il ne lui a pas suffi d'approfondir la Sagesse, il a voulu faire aussi ma connaissance. Si vous en doutez, voici ses propres paroles au chapitre premier [509] : « J'ai appliqué mon cœur à connaître la Sagesse et la Science, les erreurs et la Folie. » Remarquez ici, à l'honneur de la Folie, qu'il la nomme en dernier lieu. Vous savez que l'ordre usité dans l'Église est que le premier personnage en dignité paraisse le dernier dans les cérémonies, ce qui est conforme au précepte évangélique [510]. Mais que la Folie soit de plus haut prix que la Sagesse, voilà ce que le livre de l'Ecclésiaste, quel qu'en soit l'auteur, atteste clairement au chapitre XLIV [511]. J'attendrai seulement, pour faire ma citation, que vous aidiez ma méthode inductive en répondant aux questions que je vais vous poser à la manière de Socrate dans les dialogues de Platon.

Quels objets vaut-il mieux mettre sous clef ? Ceux qui sont précieux ou ceux qui n'ont ni rareté, ni valeur ? Vous vous taisez. Si vous n'avez point d'avis, ce proverbe répondra pour vous : « La cruche reste à la porte », et, pour le faire accepter, je cite qui le rapporte; c'est Aristote [512], dieu de nos docteurs. Est-il parmi vous quelqu'un d'assez absurde pour laisser sur le grand chemin ses bijoux et son or ? Personne assurément. Vous les serrez au plus secret de la maison, aux coins les plus retirés et dans les cassettes les mieux ferrées; vous laissez sur la voie publique les ordures. Or, si ce qu'on a de plus précieux est tenu caché, et ce qu'on a de plus vil abandonné au jour, la Sagesse, que l'on défend de cacher, n'est-elle pas de toute évidence moins précieuse que la Folie, qu'on recommande de dissimuler ? Voici maintenant le témoignage que j'invoquais : « L'homme qui cache sa folie vaut mieux que celui qui cache sa sagesse [513]. »

Les Saintes Écritures reconnaissent au fou la qualité de modestie, en face du sage qui se croit au-dessus de tous. C'est ainsi que j'entends l'Ecclésiaste, au chapitre X : « Mais le fou qui marche dans sa voie, étant insensé, croit que tous les autres sont fous comme lui. » N'est-ce pas, en effet, d'une bien belle modestie d'égaler tout le monde à soi-même et, alors que chacun se met vaniteusement au-dessus des autres, de partager avec tous ses mérites ? Ce grand roi Salomon n'a pas rougi du titre, quand il a dit, chapitre XXX [514] : « Je suis le plus fou des hommes. » Et saint Paul, le docteur des nations, le revendique délibérément dans l'épître aux Corinthiens [515] : « Je parle en fou, dit-il, l'étant plus que personne », comme s'il était humiliant d'être surpassé en folie.

J'entends ici protester à grands cris certains petits grécisants, qui s'efforcent de crever les yeux des corneilles [516], c'est-à-dire des théologiens de ce temps-ci, et publient leurs commentaires pour éblouir les gens. (La troupe a pour chef en second, sinon en premier [517], mon ami Érasme, que j'aime à nommer souvent pour lui faire honneur.) Citation vraiment folle, clament-ils, et bien digne de cette Moria ! La pensée de l'Apôtre est fort loin de cette rêverie; ses paroles ne signifient nullement qu'il se dit plus fou que les autres; mais après avoir écrit : « Ils sont ministres du Christ, je le suis aussi », ce qui l'égale aux autres Apôtres, il se corrige en précisant : « Je le suis même davantage. » Il sent, en effet, que, voué comme eux au ministère de l'Évangile, il leur est en quelque sorte supérieur. Pour se faire reconnaître comme tel, sans offenser par une parole d'orgueil, il se couvre du manteau de la Folie : il se dit fou parce que les fous ont seuls le privilège de la vérité qui n'offense pas.

J'abandonne à la discussion le sens que Paul a donné à ce passage. Il y a de grands théologiens, gros et gras, et pleins de leur autorité, que je veux uniquement suivre; ainsi font la plupart des savants, qui aiment mieux errer avec eux qu'être dans le vrai avec ceux qui connaissent les trois langues [518]. Les petits grécisants ne sont pas pris au sérieux plus que des oiseaux. Du reste, un glorieux théologien, dont je tais le nom par prudence (nos grécisants lui lanceraient aussitôt le brocard grec de l'âne jouant de la lyre [519]), a commenté le passage en question magistralement et théologalement. De cette phrase : « Je parle en fou, l'étant plus que personne », il tire un chapitre inattendu, qui a demandé une dialectique consommée, et il divise son interprétation d'une façon également nouvelle. Je le cite textuellement, forme et substance : « Je parle en fou, c'est-à-dire, si je vous parais déraisonner en m'égalant aux faux apôtres, je ne vous paraîtrai pas plus sage en me préférant à eux. » Puis il oublie son sujet et passe à un autre.

LXIV. — Mais pourquoi me fatiguer sur ce seul texte ? Chacun sait bien que le droit des théologiens leur livre le ciel, c'est-à-dire l'interprétation des Saintes Écritures; elles sont comme une peau qu'ils étirent à leur gré. On y voit des contradictions avec saint Paul, qui en réalité n'existent pas. S'il faut en croire saint Jérôme, l'homme aux cinq langues [520], saint Paul avait vu, par hasard, à Athènes, l'inscription d'un autel qu'il modifia à l'avantage de la foi chrétienne. Omettant les mots qui pouvaient gêner sa cause, il n'en garda que les deux derniers : « Au Dieu inconnu [521] »; encore les changeait-il un peu, car l'inscription complète portait : « Aux Dieux de l'Asie, de l'Europe et de l'Afrique, aux Dieux inconnus et étrangers. » A cet exemple, je crois, la famille théologienne détache d'un contexte, ici et là, quelques petits mots dont elle altère le sens pour l'accommoder à ses raisonnements. Peu lui importe qu'il n'y ait aucun rapport avec ce qui précède et ce qui suit, ou même qu'il y ait contradiction. L'impudent procédé vaut tant de succès aux théologiens qu'ils en excitent maintes fois l'envie des jurisconsultes.

Ne peuvent-ils tout se permettre, quand on voit ce grand... (j'allais lâcher le nom, mais j'évite de nouveau le brocard sur la lyre) [522] extraire de saint Luc [523] un passage qui s'accorde avec l'esprit du Christ comme l'eau avec le feu ? Sous la menace du péril suprême, au moment où des clients fidèles se groupent autour de leur patron pour combattre avec lui de toutes leurs forces, le Christ voulut ôter de l'esprit des siens leur confiance dans les secours humains; il leur demanda s'ils avaient manqué de quelque chose depuis qu'il les avait envoyés prêcher, et cependant ils y étaient allés sans ressources de viatique, sans chaussures pour se garantir des épines et des cailloux, sans besace garnie contre la faim. Les disciples ayant répondu qu'ils n'avaient manqué de rien, il leur dit : « Maintenant, que celui qui a une bourse ou une besace la dépose, et que celui qui n'a pas de glaive vende sa tunique pour en acheter un! » Comme tout l'enseignement du Christ n'est que douceur, patience, mépris de la vie, qui ne comprend le sens de son précepte ? Il veut dépouiller encore davantage ceux qu'il envoie, de façon qu'ils se défassent non seulement de la chaussure et de la besace, mais encore de la tunique, afin qu'ils abordent nus et dégagés de tout, la mission de l'Evangile; ils ont à se procurer seulement un glaive, non pas celui qui sert aux larrons et aux parricides, mais le glaive de l'esprit, qui pénètre au plus intime de la conscience et y tranche d'un coup toutes les passions mauvaises, ne laissant au cœur que la piété.

Or, voyez comment le célèbre théologien torture ce passage. Le glaive, pour lui, signifie la défense contre toute persécution, et la besace, une provision de vivres assez abondante, comme si le Christ, ayant changé complètement d'avis, regrettait d'avoir mis en route ses envoyés dans un appareil trop peu royal et chantait la palinodie de ses instructions antérieures! Il aurait donc oublié qu'il leur avait garanti la béatitude au prix des affronts [524], des outrages et des supplices, qu'il leur avait interdit de résister aux méchants, parce que la béatitude est pour les doux, non pour les violents, qu'il leur avait donné pour modèles les lis et les passereaux [525]! Il se refusait maintenant à les laisser partir sans glaive, leur recommandait de vendre, au besoin, leur tunique, pour en avoir un et d'aller plutôt nus que désarmés. Sous ce nom de glaive, notre théologien entend tout ce qui peut repousser une attaque, comme sous le nom de besace, tout ce qui concerne les besoins de la vie. Ainsi, cet interprète de la pensée divine nous montre des apôtres munis de lances, de balistes, de frondes et de bombardes, pour aller prêcher le Crucifié; et de même il les charge de bourses, de sacoches et de bagages, pour qu'ils ne quittent jamais l'hôtellerie sans avoir bien mangé. Il ne se trouble pas d'entendre, peu après, le Maître ordonner avec un accent d'adjuration de remettre au fourreau le glaive [526] qu'il aurait si vivement recommandé d'acheter. On n'a pourtant jamais entendu dire que les Apôtres se soient servis de glaives et de boucliers contre la violence des païens, ce qu'ils auraient fait assurément si la pensée du Christ avait été celle qu'on lui prête.

Un autre, qui n'est point des derniers et que par respect je ne nomme pas [527], a confondu la peau de saint Barthélemy écorché [528] et les tentes dont Habacuc [529] a dit : « Les peaux du pays de Madian seront rompues. » J'ai assisté l'autre jour, ce qui m'arrive fréquemment, à une controverse de théologie. Quelqu'un voulait savoir quel texte des Saintes Écritures ordonnait de brûler les hérétiques plutôt que de les convaincre par la discussion. Un vieillard à la mine sévère, que son sourcil révélait théologien, répondit avec véhémence que cette loi venait de l'apôtre Paul [530], lorsqu'il avait dit : « Évite *(devita)* l'hérétique, après l'avoir repris une ou deux fois. » Il répéta et fit sonner ces paroles; chacun s'étonnait; on se demandait s'il perdait la tête. Il finit par s'expliquer : « Il faut retrancher l'hérétique de la vie », traduisait-il, comprenant *de vita* au lieu de *devita*. Quelques auditeurs ont ri; il s'en est trouvé pour déclarer ce commentaire profondément théologique. Et, tandis qu'on réclamait, survint, comme on dit, un avocat de Ténédos [531] et d'autorité irréfragable : « Écoutez bien, dit-il. Il est écrit [532] : Ne laissez pas vivre le malfaisant *(maleficus)*. Or, l'hérétique est malfaisant. Donc, etc. » Il n'y eut alors qu'une voix pour louer l'ingénieux syllogisme, et toute l'assemblée trépigna de ses lourdes chaussures. Il ne vint à l'esprit de personne que cette loi est faite contre les sorciers, jeteurs de sorts et magiciens, que les Hébreux appellent d'un mot qui se traduit par *maleficus*. Autrement, la sentence de mort s'appliquerait tout aussi bien à la fornication et à l'ébriété.

LXV. — Mais il serait insensé de poursuivre; ce vaste sujet ne tiendrait même pas dans les volumes de Chrysippe [533] et de Didyme [534]. Je voulais seulement, en vous montrant ce que se permettent les divins docteurs, obtenir votre indulgence pour une théologienne de bois de figuier [535], lorsqu'elle vous présente des citations un peu risquées.

Revenons à saint Paul. « Vous supportez aisément les fous », dit-il de lui-même [536], et plus loin : « Acceptez-moi comme un fou »; puis [537] : « Je ne parle pas selon Dieu, mais comme si j'étais fou »; et encore [538] : « Nous sommes fous pour le Christ. » Que d'éloges de la Folie, et dans quelle bouche! Il va plus loin [539] et la prescrit comme indispensable au salut : « Que celui d'entre vous qui paraît sage devienne fou pour être sage! » Dans saint Luc [540], Jésus ne donne-t-il pas le nom de fous aux deux disciples qu'il a rejoints sur le chemin d'Emmaüs ? Et peut-on s'en étonner, puisque notre saint Paul [541] attribue à Dieu lui-même un grain de folie ? « La folie de Dieu, dit-il, est plus sage que la sagesse des hommes. » Origène [542] explique, il est vrai, que cette folie ne saurait être mesurée par l'intelligence humaine, ce qui s'accorde à ceci : « La parole de la Croix est folie pour les hommes qui passent [543]. »

Mais pourquoi se fatiguer à tant de témoignages ? Le Christ, dans les psaumes sacrés [544], dit à son Père : « Vous connaissez ma folie. » D'ailleurs, ce n'est pas sans raison que les fous ont toujours été chers à Dieu, et voici pourquoi. Les princes se méfient des gens trop sensés et les ont en horreur, comme faisait, par exemple, César pour Brutus et Cassius, alors qu'il ne redoutait rien d'Antoine, l'ivrogne [545]. Sénèque était suspect à Néron [546], Platon à

Denys [547], les tyrans n'aimant que les esprits grossiers et peu perspicaces. De même le Christ déteste et ne cesse de réprouver ces sages qui se fient à leurs propres lumières. Saint Paul [548] l'affirme sans ambages : « Dieu a choisi ce qui, pour le monde, est folie », et encore [549] : « Dieu a voulu sauver le monde par la Folie », puisqu'il ne pouvait le rétablir par la Sagesse. Dieu lui-même l'exprime assez par la bouche du prophète [550] : « Je perdrai la sagesse du sage et je condamnerai la prudence des prudents. » Il va jusqu'à se féliciter [551] d'avoir caché aux sages le mystère du salut et de ne l'avoir révélé qu'aux tout petits, c'est-à-dire aux fous; car, dans le grec, pour indiquer les tout petits, c'est le mot « insensé » qui s'oppose au mot « sage ». Ajoutons tous les passages de l'Evangile où le Christ poursuit sans relâche les pharisiens, les scribes et les docteurs de la Loi, tutélaire pour la foule ignorante. Que signifient ses paroles : « Malheur à vous, scribes et pharisiens! [552] » sinon : « Sages, malheur à vous! »

Sa compagnie de prédilection est celle des petits enfants, des femmes et des pêcheurs. Même parmi les bêtes, il préfère celles qui s'éloignent le plus de la prudence du renard. Aussi choisit-il l'âne [553] pour monture, quand il aurait pu, s'il avait voulu, cheminer sur le dos d'un lion! Le Saint-Esprit est descendu sous la forme d'une colombe [554], non d'un aigle ou d'un milan. L'Écriture sainte fait mention fréquente de cerfs, de faons, d'agneaux. Et notez que le Christ appelle ses brebis [555] ceux des siens qu'il destine à l'immortelle vie. Or, aucun animal n'est plus sot; Aristote assure [556] que le proverbe « tête de brebis [557] », tiré de la stupidité de cette bête, s'applique comme une injure à tous les gens ineptes et bornés. Tel est le troupeau dont le Christ se déclare le pasteur. Il lui plaît de se faire appeler agneau lui-même, C'est ainsi que le désigne saint Jean [558] : « Voici l'agneau de Dieu! » et c'est la plus fréquente expression de l'Apocalypse [559].

Que signifie tout cela sinon que la folie existe chez tous les mortels, même dans la piété ? Le Christ lui-même, pour secourir cette folie, et bien qu'il fût la sagesse du Père [560], a consenti à en accepter sa part, le jour où il a revêtu la nature humaine et « s'est montré sous l'aspect d'un homme [561] », ou quand il s'est fait péché pour remédier aux péchés [562]. Il n'a voulu y remédier que par la folie de la Croix [563], à l'aide d'apôtres ignorants et grossiers; il leur recommande avec soin la Folie, en les détournant de la Sagesse, puisqu'il leur propose en exemple les enfants [564], les lis [565], le grain de sénevé [566], les passereaux [567], tout ce qui est inintelligent et sans raison, tout ce qui vit sans artifice ni souci et n'a pour guide que la Nature.

Il les avertit de ne pas s'inquiéter, s'ils ont à discourir devant les tribunaux [568]; il leur interdit de se préoccuper du temps et du moment [569], et même de se fier à leur prudence, pour ne dépendre absolument que de lui seul.

Voilà pourquoi Dieu, lorsqu'il créa le monde, défendit de goûter à l'arbre de la Science [570], comme si la Science était le poison du bonheur. Saint Paul la rejette ouvertement [571], comme pernicieuse et nourricière d'orgueil; et saint Bernard le suit sans doute, lorsque, ayant à désigner la montagne où siège Lucifer, il l'appelle : Montagne de la Science [572].

Voici sans doute une preuve qu'il ne faut pas oublier. La Folie trouve grâce dans le Ciel, puisqu'elle obtient seule la rémission des péchés, alors que le sage n'est point pardonné. C'est pour cela que ceux qui demandent miséricorde, même ayant péché consciemment, invoquent le prétexte et le patronage de la Folie. Tel Aaron, si mon souvenir est exact, implore au livre des Nombres [573] la grâce de sa femme : « Je vous en supplie, Seigneur, ne nous imputez point ce péché que nous avons commis par folie. » C'est ainsi que Saül excuse sa faute auprès de David : « Il apparaît, dit-il, que j'ai agi comme un fou [574]. » Et David, à son tour, sollicite le Seigneur : « Je vous prie, Seigneur, de décharger votre serviteur de son iniquité, parce que j'ai agi follement [575]. » C'est qu'il ne pouvait demander grâce qu'en plaidant la folie et l'égarement. Mais voici qui est plus pressant; c'est la prière pour ses ennemis que fait le Christ en croix : « Père, pardonnez-leur! » La seule excuse qu'il invoque pour eux est l'inconscience : « Parce qu'ils ne savent ce qu'ils font [576]. » Saint Paul pareillement écrit à Timothée [577] : « Si j'ai obtenu la miséricorde de Dieu, c'est que j'ai agi par ignorance dans mon incrédulité. » Qu'est-ce à dire « par ignorance » ? qu'il a péché par folie, non par malice. Que signifie : « Si j'ai obtenu miséricorde », sinon qu'il ne l'eût pas obtenue, s'il ne se fût réclamé de la Folie ? Il est des nôtres, le mystique auteur des Psaumes [578], que j'ai omis de citer en son lieu : « Oubliez les fautes de ma jeunesse et mes ignorances. » Vous entendez sa double excuse : son âge, dont je suis toujours la compagne, et les ignorances dont le nombre immense montre toute la force de sa folie.

LXVI. — Pour ne pas divaguer dans l'infini et pour abréger, la religion chrétienne paraît avoir une réelle parenté avec une certaine Folie et fort peu de rapport avec la Sagesse. Souhaitez-vous des preuves ? Remarquez d'abord que les enfants, les vieillards, les femmes et les innocents prennent plus que d'autres plaisir aux cérémonies et aux choses religieuses et que, par la seule impulsion de la Nature, ils veulent être toujours auprès des autels. Voyez encore que les premiers fondateurs de la religion, attachés à une simplicité merveilleuse, ont été d'acharnés ennemis des lettres. Enfin, les fous les plus extravagants ne sont-ils pas ceux qu'a saisis tout entiers l'ardeur de la piété chrétienne ? Ils prodiguent leurs biens, négligent les injures, supportent la tromperie, ne font aucune distinction d'amis et d'ennemis, ont en horreur le plaisir, se rassasient de jeûnes, de veilles, de larmes, de labeurs et d'humiliations; ils ont le dégoût de la vie, et l'impatience de la mort; en un mot, on les dirait privés de tout sentiment humain, comme si leur esprit vivait ailleurs que dans leur corps. Que sont-ils donc, sinon des fous ? Et comment s'étonner que les Apôtres aient paru des gens ivres de vin doux [579], et que le juge Festus ait pris saint Paul pour un insensé [580] ?

Cependant, puisque j'ai revêtu une bonne fois la peau du lion [581], je vous enseignerai encore ceci : c'est que le bonheur recherché par les chrétiens, au prix de tant d'épreuves, n'est qu'une sorte de démence et de folie. Ne redoutez pas les mots, pesez plutôt la réalité. Tout d'abord, les chrétiens ont une doctrine commune avec les Platoniciens [582] : c'est que l'esprit, enveloppé et garrotté dans les liens du corps, et alourdi par la matière, ne peut guère contempler la vérité telle qu'elle est, ni en jouir; aussi définit-on la philosophie une méditation de la mort, parce qu'elle détache l'âme des choses visibles et corporelles, ce qui est également l'œuvre de la mort. C'est pourquoi, aussi longtemps que l'âme utilise normalement les organes du corps, on la dit saine; mais lorsque, rompant ses liens, elle s'efforce de s'affranchir et songe à fuir sa prison, on appelle cela folie. Si l'effort coïncide avec une maladie ou un défaut organique, il n'y a plus aucune hésitation. Pourtant voyons-nous de tels hommes prédire l'avenir, connaître les langues et la littérature, qu'auparavant ils n'avaient jamais apprises, et manifester en eux quelque chose de divin. Nul doute que leur âme, purifiée en partie du contact du corps, ne commence à développer son énergie native. La même cause, je pense, agit sur les agonisants, qui révèlent des facultés semblables et parlent parfois comme des prophètes inspirés [583].

Si l'ardeur religieuse provoque de tels effets, ce n'est peut-être point la même folie que la nôtre, mais cela en approche tellement que la plupart les confondent, surtout que le nombre est mince de ces pauvres hommes qui, par leur genre de vie, se tiennent entièrement à l'écart du genre humain.

Je me rappelle ici la fiction platonicienne [584] de ces prisonniers enchaînés dans la caverne, d'où ils n'aperçoivent que les ombres des objets. Un d'eux, qui s'est enfui, revient dans l'antre, leur conte qu'il a vu les objets réels, et démontre par quelle grave erreur ils croient qu'il n'existe rien au-delà de ces ombres misérables. Étant devenu sage, il a pitié de ses compagnons et déplore la folie qui les retient dans une telle illusion; mais eux, à leur tour, rient de son délire et le chassent. Il en est de même du commun des hommes. Ils s'attachent étroitement aux choses corporelles et croient qu'elles sont à peu près seules à exister. Les gens pieux, au contraire, négligent tout ce qui touche au corps et sont ravis tout entiers par la contemplation des choses invisibles. Les premiers s'occupent tout d'abord des richesses, ensuite des commodités du corps, en dernier lieu de leur âme, à laquelle, d'ailleurs, la plupart ne croient pas, parce que les yeux ne la perçoivent point. Inversement, les autres tendent tout leur effort vers Dieu, le plus simple de tous les êtres, puis vers l'objet qui s'en rapproche le plus, c'est-à-dire l'âme; ils sont insoucieux du corps, méprisent l'argent et le fuient comme une infection. S'ils sont obligés de s'en occuper, ils le font à contrecœur et avec dégoût; ils ont ces choses comme s'ils ne les avaient pas; ils les possèdent sans les posséder [585].

Constatons encore des degrés et des différences. Bien que tous nos sens soient en liaison avec le corps, certains sont plus matériels, comme le tact, l'ouïe, la vue, l'odorat, le goût. D'autres tiennent moins du corps, comme la mémoire, l'intelligence, la volonté. C'est où l'âme s'exerce qu'elle est puissante [586]. Les hommes pieux, s'étant dirigés de toute la force de leur âme vers les objets les plus étrangers aux sens grossiers, arrivent à émousser ceux-ci et les annihilent, alors que le vulgaire s'en sert fort bien et n'est pas fort sur le reste. N'avons-nous pas entendu dire que des saints ont pu boire de l'huile pour du vin [587] ? En outre, parmi les passions de l'âme, certaines dépendent plus étroitement de la grossièreté du corps, comme l'appétit charnel, le besoin de la nourriture et du sommeil, la colère, l'orgueil, l'envie. La piété leur fait énergiquement la guerre, tandis que le vulgaire ne saurait s'en passer pour vivre.

Il est ensuite des passions moyennes et comme naturelles, telles que l'amour de sa patrie, la tendresse pour ses enfants, ses parents, ses amis. Le commun des hommes s'y laisse aller; mais les gens pieux travaillent à les déraciner de leur cœur, ou bien à les élever jusqu'au sommet de l'âme. Ils aiment leur père, non en tant que père, car il n'a engendré que leur corps, lequel même leur vient du Père divin, mais pour être un honnête homme en qui brille à leurs yeux l'image de cette suprême intelligence qui les appelle au souverain bien, et hors de laquelle ils ne voient rien à aimer et à désirer. C'est sur cette règle qu'ils mesurent tous les devoirs de la vie. Si l'on ne doit pas toujours mépriser les choses visibles, on doit du moins les considérer comme infiniment inférieures aux choses invisibles. Ils disent encore que, dans les sacrements même et les exercices de piété, se retrouve la distinction du corps et de l'esprit. Dans le jeûne, par exemple, ils attribuent peu de mérite à l'abstinence des viandes et d'un repas, ce qui pour le vulgaire constitue l'essentiel du jeûne. Ils veulent qu'en même temps les passions subissent un retranchement, que l'emportement et l'orgueil soient refrénés, de telle sorte qu'étant moins surchargé par le poids du corps l'esprit parvienne à goûter et à posséder les biens célestes.

Il en va de même pour la messe. Sans dédaigner, disent-ils, l'extérieur des cérémonies, ils le regardent comme médiocrement utile, ou même pernicieux, s'il ne s'y mêle un élément spirituel que ces signes visibles représentent. La messe figure la mort du Christ, que les fidèles doivent reproduire en eux en domptant, éteignant, ensevelissant, si l'on peut dire, les passions du corps, afin de renaître d'une vie nouvelle et ne faire tous ensemble qu'un avec Lui. Ainsi pense, ainsi agit l'homme pieux. La foule, au contraire, ne voit dans le sacrifice de la messe que d'être présente devant l'autel, le plus près possible, d'entendre des chants et d'assister, en outre, à de menues cérémonies.

Je viens de donner quelques exemples; mais c'est dans l'ensemble de sa vie que l'homme pieux se tient à l'écart des choses corporelles, et prend son essor vers celles de l'éternité, spirituelles et invisibles. C'est donc un désaccord continuel entre des esprits qui se font mutuellement l'effet d'être insensés : mais le mot, à mon avis, s'applique plus exactement aux gens pieux.

LXVII. — Vous le trouverez plus évident quand je vous aurai démontré en peu de mots, comme je l'ai promis, que cette récompense suprême qu'ils attendent n'est autre chose qu'une sorte de folie. Songez que Platon a fait un rêve semblable, quand il a écrit [588] que la fureur des amants est de toutes la plus heureuse. En effet, l'amoureux passionné ne vit plus en lui, mais tout entier dans l'objet qu'il aime; plus il sort de lui-même pour se fondre dans cet objet, mieux il ressent le bonheur. Ainsi, lorsque l'âme médite de s'échapper du corps et renonce à se servir normalement de ses organes, on juge à bon droit qu'elle s'égare. Les expressions courantes ne veulent pas dire autre chose : « Il est hors de lui... Reviens à toi... Il est revenu à lui-même. » Et, plus l'amour est parfait, plus son égarement est grand et délicieux.

Quelle sera donc cette vie du ciel, à laquelle aspirent si ardemment les âmes pieuses ? L'esprit étant victorieux et plus fort absorbera le corps; et ce sera d'autant plus facile qu'il l'aura préparé à cette transformation en le purifiant et l'épuisant pendant la vie. A son tour, l'esprit sera absorbé par la suprême Intelligence, dont toutes les puissances sont infinies. Ainsi se trouvera hors de lui-même l'homme tout entier, et la seule raison de son bonheur sera de ne plus s'appartenir et d'être soumis à cet ineffable souverain bien qui attire tout à lui.

Une telle félicité, il est vrai, ne pourra être parfaite qu'au moment où les âmes douées d'immortalité reprendront leurs anciens corps. Mais, puisque la vie des gens de piété n'est que méditation de l'éternité, et comme l'ombre de celle-ci, il leur arrive d'y goûter quelque peu par avance et d'en respirer quelques parfums. Ce n'est qu'une gouttelette auprès de l'intarissable source du bonheur qui ne finit pas; elle est préférable pourtant à toutes les voluptés de la terre, lors même que leurs délices se confondraient en une seule, tellement le spirituel l'emporte sur la matière, et ce qu'on ne voit pas sur ce qu'on voit! C'est la promesse du Prophète [589] : « L'œil n'a pas vu, l'oreille n'a pas entendu, le cœur de l'homme n'a pas ressenti ce que Dieu ménage à ceux qui l'aiment. » Telle est cette folie qui jamais ne prend fin, mais qui s'achève en passant de cette vie dans l'autre.

Ceux qui ont eu le privilège si rare de tels sentiments éprouvent une sorte de démence; ils tiennent des propos incohérents, étrangers à l'humanité; ils prononcent des mots vides de sens; et à chaque instant l'expression de leur visage change. Tantôt gais, tantôt tristes, ils rient, ils pleurent, ils soupirent; bref, ils sont vraiment hors d'eux-mêmes. Revenus à eux, ils ne peuvent dire où ils sont allés, s'ils étaient dans leur corps, ou hors de leur corps, éveillés ou endormis. Qu'ont-ils entendu, vu et dit ? qu'ont-ils fait ? Ils ne s'en souviennent qu'à travers un nuage, ou comme d'un songe; ils savent seulement qu'ils ont eu le bonheur pendant leur folie. Ils déplorent leur retour à la raison et ne rêvent plus que d'être fous à perpétuité. Encore n'ont-ils eu qu'un faible avant-goût du bonheur futur!

LXVIII. — Mais depuis longtemps je m'oublie, et « j'ai franchi toute borne [590] ». Si vous trouvez à mon discours trop de pétulance ou de loquacité, songez que je suis la Folie et que j'ai parlé en femme. Souvenez-vous cependant du proverbe grec : « Souvent un fou même raisonne bien [591] », à moins que vous ne pensiez que ce texte exclue les femmes. Vous attendez, je le vois, une conclusion. Mais vous êtes bien fous de supposer que je me rappelle mes propos, après cette effusion de verbiage. Voici un vieux mot : « Je hais le convive qui se souvient [592] »; et voici un mot neuf : « Je hais l'auditeur qui n'oublie pas. »

Donc, adieu! Applaudissez, prospérez et buvez, illustres initiés de la Folie!

LETTRE D'ÉRASME A DORPIUS

ÉRASME DE ROTTERDAM [593]

A MARTIN DORPIUS [594], EXCELLENT THÉOLOGIEN [595]

SALUT

Anvers, mois de mai 1515.

I. — Ta lettre [596] ne nous a pas été remise, mais pourtant un ami m'en a montré à Anvers une copie, qu'il avait reçue je ne sais comment. Tu déplores l'édition peu opportune de la *Folie*, tu approuves fort notre zèle à restituer le texte de Jérôme [597], tu nous détournes de l'édition du *Nouveau Testament* [598]. Cette lettre de toi, mon Dorpius, est si loin de m'avoir le moins du monde offensé, que tu m'es devenu depuis beaucoup plus cher, bien que tu m'aies été toujours très cher, tant il y a de sincérité dans tes conseils, d'amitié dans tes avis, de tendresse dans tes objurgations. C'est le propre de la charité chrétienne, même lorsqu'elle est le plus sévère, de garder la saveur de sa douceur native. On me remet chaque jour beaucoup de lettres d'érudits, qui me nomment la gloire de la Germanie, qui me comparent au soleil et à la lune, et qui m'accablent plutôt qu'ils ne me parent des titres les plus splendides. Que je meure, si jamais une de ces lettres m'a fait autant de plaisir que la lettre d'objurgation de mon Dorpius! Paul a eu raison de dire que la charité ne pèche pas [599] : si elle flatte, c'est qu'elle tâche d'être utile; si elle se fâche, ce n'est point dans un but différent.

II. — Et plût au ciel qu'il me fût permis de répondre à loisir à ta lettre, pour m'acquitter envers un ami tel que toi! Je désire vivement que tout ce que je fais recueille ton approbation. Je fais un si grand cas de ton esprit presque céleste, de ton érudition unique, de ton jugement si éminemment perspicace, que le suffrage du seul Dorpius a pour moi plus de prix que mille autres. Mais, encore malade de la traversée [600], fatigué d'avoir été à cheval, et, de plus, occupé à ranger mes petits bagages, j'ai trouvé préférable de te répondre tant bien que mal, plutôt que de laisser un ami dans cette opinion, soit que tu l'aies conçue de toi-même, soit que d'autres te l'aient insinuée, qui t'ont suborné pour écrire cette lettre, afin de jouer leur rôle sous le masque d'autrui.

III. — D'abord, pour parler franc, je suis presque aux regrets d'avoir publié la *Folie*. Ce petit livre n'a pas laissé de me procurer un peu de gloire, ou, si tu aimes mieux, de réputation. Mais moi, je ne tiens guère à la gloire où se mêle l'envie. D'ailleurs, grands Dieux, qu'est-ce que tout ce qu'on appelle communément la gloire, sinon un nom absolument vide que nous a légué le paganisme ? Il est resté plus d'une expression de ce genre chez les chrétiens, qui appellent immortalité la réputation qu'on laisse à la postérité et vertu le goût des lettres quelles qu'elles soient. En publiant tous mes livres, mon unique but a toujours été de faire par mon travail œuvre utile; et, si je ne pouvais y réussir, de ne pas faire du moins œuvre nuisible.

IV. — Aussi, tandis que nous voyons même des grands hommes abuser de leur culture pour donner libre cours à leurs passions : l'un chantant ses ineptes amours, un autre flattant ceux qu'il veut amadouer, un autre en butte aux injures riposter à coups de plume, un autre se faire lui-même son joueur de flûte et surpasser en exaltant ses propres louanges n'importe quel Thrason [601] ou quel Pyrgopolinice [602], moi, en dépit de mon mince talent et de ma courte science, j'ai toujours visé pourtant à être, si je le pouvais, utile; ou sinon, à ne blesser personne. Homère a assouvi sa haine contre Thersite par une cruelle hypotypose [603]. Platon, que de gens n'a-t-il pas égratignés nommément dans ses dialogues [604] ! Qu'a épargné Aristote, lui qui n'a épargné ni Platon ni Socrate [605] ? Démosthène a eu son Eschine à pourfendre [606], Cicéron a eu son Pison, son Vatinius, son Salluste, son Antoine [607]. Combien en est-il que Sénèque nommément raille et attaque [608] ! Si l'on passe en revue les modernes, Pétrarque contre un médecin [609], Laurent contre le Pogge [610], Politien contre Scala [611] se sont fait une arme de leur plume. Quel est celui parmi tous que tu me pourras citer d'assez modéré pour n'avoir rien écrit d'un peu amer contre personne ? Jérôme lui-même, cet homme si pieux et si sage, ne se retient pas quelquefois de fulminer âcrement contre Vigilance [612], d'insulter sans mesure Jovinien [613], de s'emporter amèrement contre Rufin [614]. Les érudits ont toujours eu pour habitude de confier à leurs feuillets comme à de sûrs compagnons ce qui cause leurs peines ou leurs plaisirs, et d'épancher dans leur sein tous les bouillonnements de leur cœur. On en trouve même certains qui n'ont eu d'autre but en écrivant des livres que d'y jeter au passage les émotions de leur âme et de les transmettre ainsi à la postérité.

V. — Pour moi, dans tous les volumes que j'ai publiés, où j'ai loué très sincèrement tant de personnes, je le demande, de qui ai-je jamais dénigré la réputation ? A qui ai-je porté la plus légère atteinte ? Quelle nation, quel ordre, quel individu ai-je nommément critiqués ? Pourtant si tu savais, mon Dorpius, combien j'ai été sur le point de le faire, provoqué par des outrages que nul n'aurait jugés tolérables ! Toujours cependant j'ai triomphé de mon intime ressentiment : j'ai toujours plus tenu compte du jugement que la postérité porterait sur nous que du traitement qu'eût mérité la méchanceté de ces gens-là. Si les autres avaient vu à quoi s'en tenir aussi bien que moi, on ne m'aurait pas trouvé mordant, mais juste, mais mesuré même et modéré.

VI. — Je me disais : « Que font aux autres nos ressentiments personnels ? En quoi nos démêlés pourront-ils intéresser les pays lointains ou la postérité ? J'aurai fait non ce que méritent ces gens-là, mais ce qui est digne de moi. Du reste je n'ai point de si grand ennemi que je ne souhaite, s'il se peut, de convertir en ami. Pourquoi écrirai-je contre un ennemi ce qu'un jour je voudrais vainement n'avoir pas écrit contre un ami ? Pourquoi marquerai-je au charbon celui à qui je ne pourrais plus, même s'il le méritait, restituer sa blancheur ? J'aime mieux pécher en exaltant des gens qui le méritent peu qu'en vitupérant des gens qui le méritent. Si on a loué quelqu'un à tort, on passe pour candide; mais si on a peint sous ses vraies couleurs l'être le plus méprisable qui soit au monde, on l'impute non à ses agissements, mais à votre passion : sans compter que les injures réciproques qu'entraînent les représailles amènent quelquefois une grande guerre, et que les médisances que l'on se renvoie tour à tour de part et d'autre font naître assez souvent un incendie des plus dangereux. Et, de même qu'il est peu chrétien de rendre injure pour injure, il est d'un cœur peu généreux d'assouvir son ressentiment par des outrages, comme font les femmes.

VII. — Telles sont les raisons qui m'ont persuadé d'écrire des œuvres toujours dépourvues de malice et de cruauté, et de ne point les souiller d'aucun terme empreint de méchanceté. Nous n'avons pas eu d'autre visée dans la *Folie* que dans nos autres écrits, quoique par une voie différente. Dans le *Manuel*[615] nous avons tracé simplement une esquisse de la vie chrétienne. Dans le petit livre de l'*Education d'un prince*[616] nous exposons ouvertement les principes dont il convient qu'un prince soit instruit. Dans le *Panégyrique*[617], sous le voile de l'éloge, nous traitons obliquement le sujet même que nous avons traité là à visage découvert. Et les idées exprimées dans la *Folie*, sous forme de badinage, ne sont rien d'autre que celles qui étaient exprimées dans le *Manuel*. Nous avons voulu avertir, et non mordre; être utile, et non offenser; réformer les mœurs humaines, et non scandaliser.

VIII. — Platon, ce philosophe si pondéré, approuve les nombreuses rasades dans les beuveries[618], parce qu'il sait qu'on peut par la gaîté du vin dissiper certains vices que par l'austérité on ne pourrait corriger; et Flaccus[619] estime que l'avis donné en plaisantant n'a pas moins d'effet que le sérieux : « Qui empêche, proclame-t-il, de dire la vérité en riant[620] ? » C'est ce que n'ont pas manqué de voir les hommes les plus sages de l'antiquité, qui ont mieux aimé exprimer les principes de conduite les plus salutaires dans des apologues en apparence ridicules et puérils, parce que la vérité un peu austère par elle-même, parée de l'attrait du plaisir, pénètre plus facilement dans l'esprit des mortels. Sans doute est-ce là ce miel que, dans Lucrèce[621], les médecins pour faire prendre un remède à des enfants appliquent autour d'une coupe d'absinthe. Et les princes d'autrefois n'ont pas eu d'autre intention en introduisant dans leurs cours l'espèce des fous[622], que de trouver dans leur franc-parler, qui ne saurait offenser personne, le moyen de connaître et de corriger leurs propres défauts. Peut-être ne serait-il pas convenable de faire figurer le Christ sur cette liste; mais s'il est permis de comparer en quelque manière les choses divines aux choses humaines, ses paraboles n'ont-elles point quelque affinité avec les apologues des anciens ? La vérité évangélique, parée d'attraits de cette sorte, se glisse plus doucement dans les cœurs et s'y établit plus profondément que si elle s'avançait toute nue : c'est ce que, dans son ouvrage de *la Doctrine chrétienne*, saint Augustin démontre abondamment.

IX. — Je voyais combien le commun des mortels était gâté par les opinions les plus sottes, et cela dans toutes les conditions de la vie, et je souhaitais d'y trouver le remède plus que vraiment je ne l'espérais. Je m'imaginais donc avoir trouvé le moyen, grâce à ce procédé, de m'insinuer pour ainsi dire dans les âmes délicates et de les guérir tout en les amusant. J'avais souvent remarqué que cette façon plaisante et joyeuse de donner un avis réussit le mieux du monde à beaucoup de gens. Si tu me réponds que le personnage que j'ai mis en scène est trop léger pour disputer sous son accoutrement de choses sérieuses, je reconnaîtrai peut-être mon tort. Je ne repousse pas le reproche d'être inepte, je repousse celui d'être amer, bien que je puisse honnêtement me défendre du premier, à défaut d'autres raisons, en invoquant l'exemple de tous ces hommes si pondérés que j'ai énumérés dans la préface de mon livre même [623].

X. — Que pouvais-je faire d'ailleurs ? J'étais descendu alors, à mon retour d'Italie, chez mon ami Morus [624]; un mal de reins me retenait depuis plusieurs jours à la chambre; et ma bibliothèque n'était pas encore arrivée. Eût-elle même été là, que la maladie ne me permettait pas de me livrer ardemment à des travaux sérieux.

Je me mis, étant de loisir, à m'amuser à cet *Eloge de la Folie*, non point du tout avec l'intention de le publier, mais pour alléger par cette façon de dérivatif les souffrances de la maladie. Je fis goûter le début de mon ouvrage à plusieurs bons amis, pour avoir plus de plaisir à en rire en leur compagnie. Ce début leur plut fort, et ils m'engagèrent à continuer. J'obéis et je consacrai à cette besogne à peu près sept jours, dépense de temps qui, pour l'importance du sujet, me semblait d'ailleurs excessive. Puis ces mêmes amis qui m'avaient poussé à écrire se chargèrent d'emporter en France mon petit livre, où on l'imprima, mais d'après une copie aussi tronquée qu'inexacte. J'en fus d'autant plus contrarié qu'en quelques mois il en parut plus de sept éditions [625], et cela dans des pays différents. J'étais le premier surpris d'un pareil engouement. Si c'est cela, mon Dorpius, que tu appelles une sottise, j'accepte l'accusation, ou du moins je ne proteste pas. J'ai commis cette sottise pour occuper mes loisirs et complaire à de bons amis, et c'est la seule que j'ai faite en ma vie. Qui est sage à toute heure ? Tu reconnais toi-même que mes autres ouvrages sont fort approuvés des gens pieux ainsi que des érudits. Quels sont ces censeurs si rigides, ou plutôt ces Aréopagites [626], qui ne veulent pas pardonner à un homme une seule ineptie ? Quelle insigne mauvaise humeur ont-ils donc pour qu'offensés d'un seul petit livre qui prête à rire ils dépouillent tout d'un coup un écrivain du bénéfice de tant de veilles antérieures ? Que de sottises je pourrais relever ailleurs, mille fois plus sottes que celle-là, et même dans de grands théologiens, qui, forgeant des questions litigieuses et du plus froid intérêt, ferraillant entre eux pour les plus futiles futilités comme s'il s'agissait de leurs foyers et de leurs autels ! Et encore ces fables ridicules et plus sottes même que les Atellanes [627], ils les jouent sans masque. Moi du moins j'ai montré plus de vergogne, qui, voulant faire le sot, ai revêtu le masque de la Folie; et, de même que, dans Platon [628], Socrate se masque le visage pour réciter les louanges de l'Amour, j'ai joué moi-même masqué cette comédie.

XI. — Tu écris que ceux même à qui le sujet déplaît applaudissent à l'esprit, à l'érudition, à l'éloquence de l'ouvrage, mais que sa forme trop mordante les choque. Ces censeurs me rendent encore plus d'hommages que je ne voudrais. Mais je ne fais pas cas de ces louanges, surtout venant de gens à qui je ne reconnais ni esprit, ni érudition, ni éloquence; s'ils étaient pourvus de ces qualités, crois-m'en, mon Dorpius, ils ne se choqueraient pas tant de badinages plus salutaires que spirituels ou érudits. Je te le demande au nom des Muses, quels yeux, quelles oreilles, quel palais ont donc ceux que choque dans ce petit livre l'esprit mordant ? D'abord quel esprit mordant peut-il y avoir là où pas un nom n'est égratigné, sauf le mien ? Pourquoi ne pense-t-on pas à ce que Jérôme répète tant de fois : qu'une discussion générale des vices n'a rien d'injurieux pour personne ? Si quelqu'un s'en choque, il n'a pas à s'en prendre à l'auteur, mais à demander, s'il veut, réparation à lui-même, car il se trahit en se déclarant personnellement visé par un langage qui, s'adressant à tout le monde, ne s'adresse qu'à celui qui veut se l'appliquer à lui-même. Ne vois-tu pas que dans tout l'ouvrage je me suis si bien gardé de faire des personnalités que je n'ai même pas voulu désigner avec trop d'âcreté une nation quelconque ? C'est ainsi que quand je note l'amour-propre particulier à chaque nation [629] j'assigne aux Espagnols la gloire militaire, aux Italiens la littérature et l'éloquence, aux Anglais la bonne chère et la beauté, et de même aux autres des qualités de cette sorte que chaque nation puisse avouer pour siennes sans déplaisir ou du moins entendre en riant. De plus, quand, conformément aux nécessités de mon sujet, je passe en revue toutes les conditions des mortels, et me mets à relever les défauts de chacune d'elles, je le demande, s'est-il trouvé quelque part sous ma plume un mot dégoûtant ou venimeux ? Me voit-on ouvrir la sentine des vices ? remuer la Camarine [630] secrète de la vie humaine ? Qui ne sait tout ce qu'on aurait pu dire contre les mauvais pontifes, contre les évêques et les prêtres malhonnêtes, contre les princes vicieux, bref contre n'importe quel ordre, si, à l'exemple de Juvénal, je n'avais pas eu honte de confier à l'écriture ce que beaucoup de gens n'ont pas honte de faire ! Nous n'avons fait que relever certains côtés plaisants et ridicules des êtres plutôt que leurs côtés hideux, et encore les avons-nous relevés de façon à donner plus d'une fois en passant des conseils sur les devoirs les plus importants, qu'il importe grandement qu'on connaisse.

XII. — Je sais que tu n'as pas le temps de descendre à des bagatelles de cette sorte; mais, pourtant, si jamais tu en as le loisir, aie soin d'examiner avec un peu d'attention ces bouffonnes plaisanteries de la *Folie* : tu te rendras compte sans nul doute qu'elles cadrent beaucoup mieux avec les dogmes des Évangélistes et des Apôtres que les dissertations de certains auteurs qu'on trouve magnifiques et dignes des grands maîtres. Tu n'es pas sans reconnaître toi-même dans ta lettre que ce livre renferme un grand nombre de vérités. Mais tu estimes qu'il ne fallait pas « blesser les oreilles délicates par le mordant de la vérité [631] ».

Si tu penses qu'on ne doit pas parler librement et que la vérité ne doit se produire que lorsqu'elle ne choque pas, pourquoi les médecins emploient-ils des drogues amères et mettent-ils la hiérapicra [632] au nombre des remèdes les plus réputés ? Si ceux qui guérissent les maux du corps procèdent de la sorte, combien ne sommes-nous pas encore plus habilités à faire de même pour soigner les maladies de l'âme ? « Supplie, dit Paul [633], blâme, gourmande, opportunément, importunément. » L'Apôtre veut qu'on pourchasse les vices par tous les moyens, et tu veux qu'on ne touche à aucune plaie, surtout lorsqu'on le fait avec de tels ménagements qu'il ne peut y avoir de blessé que celui qui a le goût de se blesser lui-même ?

XIII. — S'il existe un moyen de guérir les vices des hommes sans choquer personne, le plus simple de tous, si je ne me trompe, c'est quand on ne publie aucun nom; puis quand on se garde de mentionner des détails qui répugnent à l'oreille des gens de bien (car, s'il y a dans la tragédie des faits trop atroces pour qu'on puisse les exposer aux regards des spectateurs et qu'il suffise de les raconter, il y a de même dans les mœurs des hommes des traits trop obscènes pour qu'on puisse les raconter sans rougir); enfin, quand les choses qu'on raconte sont rapportées sous un masque bouffon pour amuser et pour divertir, si bien que la gaîté du langage exclut toute offense. Ne voyons-nous pas quel effet produit quelquefois même sur de sévères tyrans une plaisanterie facile et dite à propos ? Je te le demande, quelles prières, quels discours sérieux auraient pu calmer la colère du roi illustre [634] aussi aisément que la plaisanterie d'un soldat ? « Eh oui ! dit-il, si nous avions eu encore une bouteille sous la main, nous en aurions dit bien d'autres sur ton compte. » Le roi sourit et pardonna. Ce n'est pas sans raison que les deux plus grands rhéteurs, Marcus Tullius [635] et Quintilien, donnent avec tant de soin des préceptes sur les moyens de provoquer le rire [636]. Le charme et l'enjouement de la conversation ont un tel pouvoir que nous prenons plaisir à des traits décochés adroitement, même contre nous, comme l'histoire nous le rapporte de Caïus César [637].

XIV. — Donc si tu reconnais que j'ai écrit la vérité et que mon style est enjoué, et non obscène, quel moyen plus facile pouvait-on imaginer de remédier aux communs maux de l'humanité ? Le plaisir allèche d'abord le lecteur, et, après l'avoir alléché, le retient. En général, les goûts sont différents. Le plaisir flatte également tout le monde, à moins qu'on ne soit trop stupide pour être accessible au sentiment du plaisir littéraire. Eh bien! ceux qui se choquent d'un livre où on ne publie aucun nom me paraissent tout proches de ces commères qui, si on a dit du mal des femmes de mauvaise vie, se fâchent comme si l'outrage concernait chacune d'elles, et qui, en revanche, si on loue les honnêtes femmes, s'applaudissent comme si l'éloge d'une ou deux concernait toutes les femmes.

Loin d'un homme pareil genre d'ineptie, plus loin encore d'un homme érudit, loin surtout d'un théologien! Si je trouve là un vice, dont je suis indemne, je ne m'en choque pas, mais je me félicite au contraire d'être exempt d'un mal auquel je vois que beaucoup sont en proie. Mais si on a touché quelque ulcère et que je me sois reconnu au miroir, il n'y a pas de raison pour que je doive m'en choquer. Si je suis prudent, je dissimulerai ce que j'éprouve, et n'irai pas me trahir moi-même. Si je suis honnête, j'aurai garde, une fois averti, qu'on ne puisse pas désormais me jeter nommément à la face ce que je vois impersonnellement signalé là. Pourquoi ne pas accorder au moins à ce livre ce que les ignorants même admettent dans les comédies populaires ? Que de brocards n'y lance-t-on pas en toute liberté contre les monarques, contre les prêtres, contre les moines, contre les femmes, contre les maris, etc. ? Et pourtant, comme personne n'est attaqué nommément, tout le monde rit et chacun avoue ingénument ou dissimule prudemment sa faiblesse. Les plus violents tyrans supportent leurs bouffons et leurs fous, bien qu'ils soient parfois en butte à des outrages manifestes de leur part. L'empereur Flavius Vespasien ne punit pas celui qui lui reprochait sa figure de chiard [638]. Quels sont donc les gens à l'oreille si délicate, qui ne supportent pas que la *Folie* même s'amuse de la vie des hommes en général sans faire la moindre personnalité ? Jamais la comédie antique n'aurait été huée si elle se fût abstenue de nommer par leurs noms des personnages illustres.

XV. — Pourtant, excellent Dorpius, tu m'écris à peu près comme si le livre de la *Folie* nous avait aliéné tout l'ordre théologique. « Quel besoin, dis-tu, d'attaquer si vivement l'ordre des théologiens ? » Et tu déplores mon sort : « Autrefois, dis-tu, tout le monde lisait tes ouvrages avec beaucoup d'empressement, on brûlait d'être mis en ta présence. Aujourd'hui la *Folie*, comme Dave [639], brouille tout. » Je sais que tu n'écris pas avec une arrière-pensée et je ne tergiverserai pas avec toi. Je te le demande, crois-tu qu'on attaque l'ordre des théologiens, si l'on dit du mal des théologiens sots ou méchants et, par là, indignes de ce nom ? Si pareille loi prévaut, quiconque aura dit du mal des scélérats aura contre lui toute la gent mortelle. Quel roi fut jamais assez imprudent pour ne pas reconnaître qu'il y a de mauvais rois, indignes de cet honneur ? Quel évêque fut assez hardi pour n'en pas dire autant de son ordre ? L'ordre des théologiens est-il donc le seul, parmi tous ses adeptes, à n'avoir aucun sot, aucun ignorant, aucun querelleur, et à ne nous montrer que des Paul, des Basile et des Jérôme ? Tout au contraire, plus une profession est brillante, moins elle a de sujets qui y répondent.

Tu trouveras plus de bons pilotes que de bons princes, plus de bons médecins que de bons évêques. D'ailleurs ce fait n'est point à la honte de l'ordre, mais à la louange du petit nombre de ceux qui se sont le plus distingués dans l'ordre le plus distingué.

XVI. — Je t'en prie, dis-moi pourquoi les théologiens, si toutefois il en est qui soient choqués, se choquent-ils plus que les rois, les grands, les magistrats, les évêques, les cardinaux et les souverains pontifes ? Plus enfin que les commerçants, les maris, les femmes, les jurisconsultes, les poètes (car la *Folie* n'a omis aucune catégorie de mortels), si ce n'est qu'ils sont assez insensés pour estimer qu'on dit d'eux le mal qu'on dit en général des méchants ? Saint Jérôme a écrit à Eustochie [640] *Sur la Virginité*, et, dans ce livre, il dépeint si bien les mœurs des filles de mauvaise vie qu'un Apelle [641] ne pourrait mieux les faire voir. Eustochie s'en est-elle choquée ? S'est-elle fâchée contre Jérôme, sous prétexte qu'il eût déshonoré l'ordre des vierges ? Pas le moins du monde. Et pourquoi donc ? Parce que cette vierge sage ne s'estimait pas visée, si on disait du mal des mauvaises filles, mais qu'au contraire elle se réjouissait qu'on invitât les bonnes à ne point dégénérer ainsi, et les mauvaises à cesser de se comporter ainsi. Il a écrit à Népotien [642] *Sur la vie des clercs*. Il a écrit à Rusticus [643] *Sur la vie des moines*, et il dépeint avec des couleurs remarquables, il censure avec des traits remarquables les vices des deux états. Ceux à qui il a écrit ne s'en sont pas choqués, parce qu'ils savaient que rien de tout cela ne les visait. Pourquoi Guillaume Montjoy [644], qui est loin d'être le dernier parmi les grands de la cour, ne s'est-il pas froissé des nombreuses plaisanteries de la *Folie* contre les dignitaires de la cour ? Sans doute parce qu'étant un homme aussi bon qu'il est sage il juge avec raison que le mot qu'on y dit des grands qui sont méchants ou sots ne le vise pas le moins du monde. Que de brocards la *Folie* n'a-t-elle pas lancés contre les évêques méchants et mondains ! Pourquoi l'archevêque de Cantorbéry [645] ne s'en est-il pas choqué ? Sans doute parce que cet homme qui est le modèle accompli des vertus en tout genre juge qu'aucun de ces brocards ne le vise.

XVII. — Mais pourquoi continuer à citer nommément les princes souverains, les autres évêques, abbés, cardinaux, et illustres érudits, dont pas un jusqu'ici ne m'a encore témoigné qu'il eût été froissé le moins du monde à cause de la *Folie ?* Je ne puis être amené à croire que des théologiens soient irrités de ce livre, si ce n'est le tout petit nombre de ceux qui ne comprennent pas ou qui me jalousent ou qui sont d'un naturel si chagrin que rien du tout ne trouve grâce devant eux. Car cette catégorie de gens, comme tout le monde en convient, compte dans ses rangs certains individus qui sont d'abord d'un esprit et d'un jugement si médiocres qu'ils ne sont propres à aucune étude, et moins qu'à toute autre à la théologie ; qui ensuite, pour avoir appris par cœur quelques règles d'Alexandre le Gaulois [646], effleuré tant soit peu d'inepte sophistique, retenu sans les comprendre dix propositions d'Aristote et autant de questions de Scot [647], ou d'Occam [648], se réservant de prendre le reste dans le *Catholicon* [649], le *Mammetrectus* [650] et autres dictionnaires analogues, comme dans une corne d'abondance, dressent la crête il faut voir comment, car rien n'est plus arrogant que l'ignorance. Ce sont ces gens-là qui méprisent le saint Jérôme comme un grammairien, parce qu'ils ne le comprennent pas. Ce sont eux qui se moquent du grec, de l'hébreu et même du latin ; et, bien qu'ils soient plus stupides qu'un cochon, et n'aient même pas le sens commun, qui croient détenir l'arsenal de la sagesse. Ils tranchent, condamnent, prononcent, ne doutent de rien, n'hésitent sur rien, n'ignorent rien. Et pourtant ces deux ou trois individus suscitent souvent de grandes tragédies. Qu'y a-t-il en effet de plus impudent, ou de plus obstiné que l'ignorance ? Ils conspirent avec un grand zèle contre les belles-lettres. Ils briguent d'être quelque chose dans le sénat des théologiens, et ils craignent que, si les belles-lettres renaissaient et que le monde se ressaisît, tels passent pour ne rien savoir qui jusqu'alors passaient communément pour ne rien ignorer. De là leurs clameurs, de là leur soulèvement, de là leur conjuration contre les hommes qui ont le culte des belles-lettres. La *Folie* ne leur plaît pas parce qu'ils n'entendent ni le grec ni le latin. Si, non point des théologiens, mais des histrions de la théologie de cette espèce, on dit d'aventure vivement ce que l'on pense, qu'est-ce que cela a affaire avec l'ordre entre tous magnifique des bons théologiens ? Si c'est le zèle de la piété qui les remue, pourquoi s'enflamment-ils de préférence contre la *Folie ?* Que d'impiétés, que d'ordures, que de dégoûtations n'a pas écrites le Pogge [651] ? Cependant il passe pour un auteur chrétien, il est dans toutes les poches, il est traduit presque en toutes les langues. De quels opprobres, de quels outrages Pontan [652] ne poursuit-il pas les clercs ? Cependant il passe pour un écrivain élégant et enjoué, et on le lit. Que d'obscénités il y a dans Juvénal ? Cependant on juge qu'il rend service même aux prédicateurs. Avec quels outrages Corneille Tacite [653], avec quelle hostilité Suétone [654] n'ont-ils pas parlé des chrétiens ! Avec quelle impiété Pline [655] et Lucien [656] ne se moquent-ils pas de l'immortalité de l'âme ! Cependant tout le monde les lit pour leur érudition, et on a bien raison de les lire. La *Folie* seule, parce qu'elle a lancé quelques plaisants brocards, non contre les bons théologiens, dignes de ce nom, mais contre les frivoles ratiocinations des ignorants et le titre ridicule de « notre Maître », ne peut être supportée ! Deux ou trois charlatans, affublés de l'habit de théologien, s'efforcent de soulever la haine contre moi, sous prétexte que j'ai offensé et froissé l'ordre des théologiens. Je fais un si grand cas de la science théologique que je n'ai coutume de donner qu'à elle seule le nom de science. Je respecte et vénère si bien cet ordre que c'est le seul dans lequel je me sois enrôlé et auquel j'ai voulu m'inscrire, quoique la pudeur m'empêche de m'arroger un titre si éminent, car je n'ignore pas quels apanages d'érudition et de vie sont attachés au nom de théologien. Il y a je ne sais quoi de surhumain dans la profession de théologien. C'est une dignité qui appartient à des évêques, non à des gens qui me ressemblent. Il nous suffit de nous être pénétré de ce mot de Socrate, que nous ne savons rien du tout, et de faire notre possible pour aider les travaux des autres.

XVIII. — J'ignore d'ailleurs où se cachent ces deux ou trois dieux des théologiens, dont tu m'écris qu'ils me sont bien peu favorables. J'ai séjourné en beaucoup d'endroits depuis la publication de la *Folie*, j'ai vécu en bien des académies, en bien des grandes villes; je n'y ai jamais remarqué de théologien qui me fût hostile, sauf un ou deux de la catégorie de ceux qui sont les ennemis de toutes les belles-lettres. Et encore ceux-là même ne m'ont-ils jamais demandé d'explications. Je ne fais pas grand cas de ce qu'ils peuvent murmurer contre un absent, le témoignage de tous les bons théologiens me suffisant. Si je ne craignais, mon cher Dorpius, de sembler parler avec plus d'arrogance que de sincérité, combien pourrais-je te citer de théologiens, célèbres par la sainteté de leur vie, remarquables par leur érudition, éminents par leur dignité, et même entre autres bon nombre d'évêques, qui ne m'ont jamais montré plus de sympathie que depuis la publication de la *Folie*, et auxquels ce livre sourit plus qu'à moi-même. Je produirais ici leurs titres et leurs noms, si je ne craignais que même contre de si grands personnages les trois théologiens en question ne se déchaînassent à cause de la *Folie*. Il y en a un du moins que je suppose être parmi vous l'auteur de cette tragédie, car j'en suis à peu près réduit à des conjectures. Si je voulais le dépeindre sous ses couleurs, personne ne s'étonnerait que la *Folie* ait déplu à un homme de cette sorte. Et j'avoue qu'elle ne me plairait pas, si elle ne déplaisait à de telles gens. Sans doute elle ne me plaît pas; mais elle me déplaît moins du fait qu'elle ne plaît pas à de tels esprits. Je suis plus sensible au jugement des théologiens sages et érudits, qui sont si loin de m'accuser d'être mordant, qu'ils vont jusqu'à louer ma modération et ma candeur, pour avoir traité sans licence un sujet licencieux par lui-même et avoir plaisanté sans coup de dent.

XIX. — En effet, pour répondre aux seuls théologiens, puisque j'apprends qu'ils sont les seuls à être choqués, qui ne sait tout le mal qu'on dit communément des mœurs des mauvais théologiens ? La *Folie* ne touche à rien de cette sorte. Elle raille seulement leurs discussions oiseuses ; elle ne se contente pas de les désapprouver, elle condamne encore ceux qui placent en elles seules, comme on dit, « la poupe et la proue [657] » de la science théologique, et qui s'occupent tellement de logomachies de ce genre, pour employer l'appellation de saint Paul, qu'ils n'ont le temps de lire ni les Évangiles ni les Prophètes ni les Apôtres. Et plût au ciel, mon cher Dorpius, qu'un tout petit nombre d'entre eux fût en butte à ce reproche ! Je pourrais te citer des vieillards de quatre-vingts ans passés qui ont perdu tant de temps à des futilités de ce genre qu'ils n'ont jamais ouvert le livre l'Évangile ; j'en ai eu la preuve, et ils l'ont finalement avoué. Je n'ai pas osé dire, même sous le masque de la *Folie*, ce que j'entends plus d'une fois déplorer par beaucoup de théologiens, mais de vrais théologiens, c'est-à-dire des hommes intègres, pondérés, érudits, et qui ont puisé profondément aux sources mêmes la doctrine du Christ : chaque fois qu'ils sont devant des personnes, devant qui ils peuvent dire librement ce qu'ils pensent, ils déplorent ce nouveau genre de théologie qui s'est introduit dans le monde et regrettent l'ancien. Qu'est-il en effet de plus saint, de plus auguste, et qui reflète et réfléchit aussi bien les dogmes célestes du Christ ? Or, sans parler de l'ignominie et des monstruosités d'un langage barbare et factice, sans parler de l'ignorance totale des belles-lettres ni de l'inintelligence des langues, Aristote, les inventions humaines, les lois profanes même ont si bien perverti cet état premier que je ne sais s'il exprime encore le pur et le vrai Christ. Il arrive, en effet, qu'à trop tourner les yeux vers les traditions humaines on ne rejoint plus l'archétype. De là vient que souvent les théologiens éclairés sont forcés de tenir en public un langage différent de ce qu'ils pensent ou de ce qu'ils disent dans l'intimité. Et quelquefois ils ne sauraient que répondre à ceux qui les consultent, en découvrant que le Christ a enseigné une chose, et que les traditions humaines en prescrivent une autre. Je le demande, quel rapport y a-t-il entre le Christ et Aristote ? entre les subtilités sophistiques et les mystères de l'éternelle sagesse ? A quoi bon les labyrinthes de toutes ces questions ? Combien entre autres n'en est-il pas d'oiseuses, de pernicieuses, ne fût-ce qu'à cause des disputes et des dissidences qu'elles font naître ? — Mais, dira-t-on, il y a des points à élucider, d'autres à résoudre. — Je ne dis pas non; mais en revanche il y en a beaucoup qu'il vaut mieux négliger que rechercher : il appartient à la science d'en ignorer certains; il y en a beaucoup aussi sur lesquels il est plus sage de douter que de décider. S'il fallait finalement décider, je voudrais qu'on le fît avec respect, non avec arrogance, et d'après les saintes Écritures, non d'après les ratiocinations artificielles des hommes. Aujourd'hui on n'en finit pas avec ces petites questions, qui sont pourtant le prétexte d'un si grand désaccord des sectes et des partis. Chaque jour un décret succède à un décret. Bref, on en est arrivé au point que l'essentiel de la religion dépend moins de la prescription du Christ que des définitions des scolastiques et du pouvoir des évêques, quels qu'ils soient. De cette façon tout a été si bien embrouillé qu'il n'y a même plus le moindre espoir de ramener le monde au vrai Christianisme. C'est cela et beaucoup d'autres choses que découvrent et déplorent les hommes les plus vénérables et les plus savants, qui en rejettent la cause première de toute cette situation sur la race effrontée et irrévérencieuse des modernes théologiens.

XX. — Oh! si tu pouvais, mon cher Dorpius, secrètement voir ce qu'il y a au fond de mon cœur, sans doute comprendrais-tu combien j'ai, par prudence, été réticent sur ce point. La *Folie* ne touche pas à ces questions, ou, du moins, elle y touche très légèrement, pour ne choquer personne. J'ai toujours eu soin de prendre les mêmes précautions, crainte d'écrire rien d'obscène, rien de pernicieux pour les mœurs, rien de séditieux ou qui pût sembler avoir un caractère injurieux pour aucun ordre. Si l'on y parle du culte des Saints, tu trouveras toujours quelque note attestant ouvertement qu'on ne blâme que la superstition de ceux qui n'honorent pas les Saints comme il faut. De même, si l'on y dit du mal des princes, des évêques, des moines, nous ajoutons toujours une note pour déclarer qu'on n'a pas dit cela pour injurier un ordre, mais les gens corrompus et indignes de leur ordre, crainte de froisser un homme de bien en poursuivant les vices des méchants. De plus, en retranchant de mon œuvre tous les noms, j'ai fait mon possible pour que même les méchants ne pussent être choqués. Enfin, en faisant jouer toute la pièce, entremêlée de traits et de plaisanteries, par un personnage fictif et bouffon, on a pris soin de plaire même aux gens tristes et moroses.

XXI. — Mais, d'après ce que tu m'écris, on ne me reproche pas seulement d'être mordant, on me reproche encore d'être impie. « Comment, dis-tu, des oreilles pieuses supporteraient-elles que tu appelles une espèce de folie le bonheur de la vie future ? » De grâce, excellent Dorpius, qui a appris à ta candeur cette sournoise façon de calomnier les gens ? Ou, ce que je crois plutôt, quel fourbe a abusé de ta simplicité pour dresser cette calomnie contre moi ? Ces calomniateurs si pernicieux ont coutume de détacher deux mots, pris isolément, parfois même quelque peu dénaturés par eux, en omettant ce qui adoucit et explique la dureté du langage. Quintilien, dans ses *Institutions*[658], note et enseigne l'astuce qui consiste, dit-il, « à produire notre cause de la façon la plus avantageuse, à grand renfort de preuves et de tout ce qui est susceptible d'adoucir, d'atténuer, de seconder cette cause; à exposer au contraire celle de ses adversaires sans rien de tout cela, et dans les termes aussi odieux que possible ». Cet art, ils ne l'ont pas tiré des préceptes de Quintilien, mais de leur propre malveillance, qui est souvent cause que des choses qui plairaient beaucoup si on les rapportait comme elles ont été écrites, lues autrement choquent vivement. Relis, je t'en prie, ce passage, et examine avec soin par quels degrés, par quelle progression du discours on en est arrivé à dire que cette félicité est une espèce de folie. Observe en outre en quels termes je l'explique : tu verras qu'il y a là même de quoi charmer les oreilles vraiment pieuses, tant s'en faut qu'il y ait rien qui choque. C'est dans ta citation qu'il y a quelque chose d'un peu choquant, et non dans mon livre. En effet, la Folie, s'employant à embrasser sous sa dénomination tout le genre humain, et à montrer que la somme de tout le bonheur humain dépend d'elle, parcourt toutes les conditions des mortels jusqu'aux rois et aux souverains pontifes; puis on en vient aux Apôtres eux-mêmes et jusqu'au Christ, auxquels nous voyons qu'une espèce de folie est attribuée dans les Écritures saintes. Il n'y a pas de danger qu'on suppose là que les Apôtres ou le Christ aient été vraiment fous, mais qu'en eux aussi il y avait je ne sais quoi de faible et d'emprunté à nos passions, qui, devant l'éternelle et pure sagesse, peut paraître peu sage. Mais cette folie-là vainc toute la sagesse du monde : c'est ainsi que le prophète compare toute la justice des mortels aux linges d'une femme souillée par son flux menstruel. Non que la justice des hommes soit polluée, mais parce que ce qu'il y a de plus pur parmi les hommes est en quelque sorte impur, si on le compare à la pureté ineffable de Dieu. Et de même que j'ai montré la folie sage, j'ai montré aussi l'insanité saine et la démence sensée. Pour adoucir ce qui suivait sur la jouissance des Saints, je cite d'abord les trois délires de Platon, dont le plus délicieux est celui des amants, qui n'est qu'une sorte d'extase. Or l'extase des gens pieux n'est qu'une sorte d'avant-goût de la béatitude future, par laquelle nous serons absorbés en Dieu tout entiers, pour être plus en lui qu'en nous-mêmes. Or Platon appelle délire l'état de celui qui, ravi hors de lui-même, vit dans ce qu'il aime et en jouit. Ne vois-tu pas comme j'ai soigneusement distingué peu après les genres de folie et d'insanité, crainte qu'un simple ne puisse se méprendre à nos termes ?

XXII. — Mais, dis-tu, je ne combats pas le fond; ce sont les termes mêmes qui effarouchent les oreilles pieuses. Pourquoi alors ces mêmes oreilles ne sont-elles pas choquées, en entendant Paul dire « le côté fou de Dieu » et « la folie de la croix » ? Pourquoi ne font-elles pas de procès à saint Thomas, qui, sur l'extase de Pierre, s'exprime de la sorte : « Dans son pieux égarement, il commence un sermon sur les tabernacles. » Il qualifie ce sacré et heureux ravissement d'égarement. Et pourtant cela se chante dans les églises. Pourquoi ne dirai-je pas que j'ai traité autrefois dans une prière le Christ de « mage » et d' « enchanteur » ? Saint Jérôme appelle le Christ samaritain, bien qu'il ait été juif. Paul le nomme le « péché », comme si c'était plus que de dire le pécheur; il le nomme le « maudit ». Quel outrage impie, si on veut l'interpréter méchamment ! Quel pieux éloge, si on le prend dans le sens où l'a écrit Paul ! Se conformant à cette mode, si on appelait le Christ voleur, adultère, ivrogne, hérétique, n'arriverait-il pas que tous les gens de bien se boucheraient les oreilles ? Mais si l'on exprimait cela en termes avantageux, si par la progression du discours on conduisait insensiblement le lecteur, comme par la main, à voir comment le Christ, triomphant par la croix, a ramené à son Père la proie qu'il avait arrachée aux Enfers; comment il s'est allié à la synagogue de Moïse comme à l'épouse d'Urie [659] pour en faire naître le peuple pacifique; comment, ivre du vin doux de la Charité, il s'est dévoué lui-même pour nous; comment il a introduit un nouveau genre de doctrine, fort éloigné des décrets de tous : sages et fous, qui, je le demande, pourrait s'en choquer, surtout quand nous trouvons parfois dans les saintes Ecritures chacun de ces mots employé en bonne part ? Dans les *Chiliades* [660] (il nous en souvient en passant), nous avons appelé les Apôtres des Silènes [661], et nous avons même dit que le Christ lui-même était une sorte de Silène. Qu'il se présente un malhonnête interprète pour expliquer odieusement cela en trois mots, quoi de plus intolérable ? Mais qu'un pieux et honnête lecteur lise ce que j'ai écrit, il approuvera l'allégorie.

XXIII. — Je suis très étonné qu'on n'ait pas remarqué avec quelles précautions j'exprime ces choses et combien j'ai soin de les adoucir par une correction. Voici ce que j'écris : « Mais puisque nous voilà revêtus une bonne fois de la peau du lion, avançons et montrons aussi que cette félicité des chrétiens, qu'ils acquièrent par tant d'épreuves, n'est qu'un certain genre d'insanité et de folie. N'en veuillez pas aux mots. Envisagez plutôt la chose elle-même. » Tu l'entends ? Avant que la Folie dispute sur un pareil mystère, j'ai l'adoucissement de lui faire dire par un proverbe qu'elle vient de revêtir la dépouille du lion. Je ne dis pas simplement « la folie et l'insanité », mais « un genre de folie et d'insanité », pour qu'on comprenne qu'il y a une pieuse folie et une heureuse insanité, selon la distinction que j'établis ensuite. Non content de cela, j'ajoute « un certain », pour faire voir qu'il y a là-dessous une figure, et que mon propos n'est pas littéral. Non content de tout cela encore, je mets en garde contre l'offense que le son des mots pourrait créer, et j'avertis de faire plus attention à ce qui est dit, qu'aux termes dans lesquels c'est dit. Et cela, tout de suite, dès l'énoncé de ma proposition. Après, dans le développement même, n'ai-je point tout dit avec la piété, avec la circonspection désirable, et même avec plus de respect qu'il ne convient à la Folie ? Mais, sur ce point, j'ai mieux aimé oublier un instant les convenances que de ne pas satisfaire à la dignité du sujet;

j'ai mieux aimé offenser la rhétorique que de froisser la piété. Et à la fin, quand j'ai eu achevé ma démonstration, pour que personne ne s'émeuve de ce que, sur un sujet si sacré, j'ai fait parler la Folie, c'est-à-dire un personnage bouffon, je m'excuse encore en ces termes : « Mais depuis longtemps je m'oublie et j'ai franchi toute borne. Si vous trouvez à mon discours trop de pétulance ou de loquacité, songez que je suis la Folie et que j'ai parlé en femme. » Tu vois que je n'ai nulle part omis d'ôter toute prise au scandale. Mais c'est ce que ne mesurent pas des gens dont les oreilles n'admettent que propositions, conclusions et corollaires. A quoi bon avoir prémuni mon livre d'une préface, par laquelle je m'efforce de couper court à toute calomnie ? Je ne doute pas qu'elle ne satisfasse tous les esprits honnêtes. Mais que faire avec ceux qui, par obstination, ne veulent pas qu'on les satisfasse, ou qui sont trop stupides pour comprendre que satisfaction leur est donnée ? Car de même que Simonide [662] a dit que les Thébains étaient trop bêtes [663] pour qu'il pût les tromper, on voit des gens trop stupides pour qu'on puisse les calmer. De plus, on ne s'étonne pas d'en trouver qui calomnient pour le seul plaisir de calomnier. Si on lit dans de pareilles dispositions les livres de saint Jérôme, on y rencontrera cent passages qui donnent prise à la calomnie, et l'on ne manquera pas de trouver dans le plus chrétien de tous les docteurs mainte occasion de pouvoir le traiter d'hérétique. Et je ne veux rien dire de Cyprien [664], de Lactance [665] et de leurs pareils.

XXIV. — D'ailleurs a-t-on jamais ouï dire qu'un badinage avait été soumis à l'enquête des théologiens ? Si on l'admet, pourquoi en vertu de cette loi n'examinent-ils pas par la même occasion les écrits et les badinages des poètes d'aujourd'hui ? Que d'obscénités ils y trouveront, que de choses qui sentent le vieux paganisme! Mais ces productions n'étant pas mises au rang des choses sérieuses, aucun théologien n'estime qu'elles le regardent. Je ne chercherais pourtant pas à m'abriter derrière cet exemple. Je ne voudrais rien avoir écrit, fût-ce par jeu, qui pût en aucune façon scandaliser la piété chrétienne. Qu'on me donne seulement quelqu'un qui comprenne ce que j'ai écrit; qu'on me donne un homme honnête et intègre, qui ait le désir de se rendre compte, et non l'arrière-pensée de calomnier. Mais si l'on tient compte de ces gens qui d'abord sont dépourvus d'esprit, et plus encore de jugement; qui ensuite n'ont aucune teinture des belles-lettres, infectés qu'ils sont plutôt que nourris de leur science sordide et confuse, qui, enfin, détestent tous ceux qui savent ce qu'eux-mêmes ils ignorent, n'ayant d'autre intention que de calomnier tout ce qui leur tombe sous les yeux, — on devra se résigner à n'écrire rien du tout, si l'on veut éviter leurs calomnies. Pourquoi faut-il que le désir de la gloire en pousse quelques-uns à calomnier ? Rien n'est plus présomptueux que l'ignorance jointe à la conviction que l'on détient la science. Aussi, éperdument assoiffés de renommée, et ne pouvant l'atteindre par des moyens honnêtes, ils aiment mieux imiter ce jeune Éphésien [666], qui se rendit célèbre en brûlant le plus fameux sanctuaire de l'univers, plutôt que de vivre sans gloire. Et, comme ils ne peuvent rien publier qui vaille d'être lu, ils s'appliquent de toutes leurs forces à dénigrer les ouvrages des hommes célèbres. Je parle des autres, et non de moi qui ne suis rien du tout. Je fais si peu de cas du livre de la *Folie* que personne ne peut croire que ces procédés m'émeuvent. Mais qu'y a-t-il d'étonnant que des gens tels que nous venons de dire choisissent en les détachant d'un grand ouvrage plusieurs propositions, et rendent les unes scandaleuses, les autres irrévérencieuses, celles-ci malsonnantes, celles-là impies et suspectes d'hérésie — non qu'ils y trouvent ces mauvaises choses, mais parce que ce sont eux-mêmes qui les y apportent. Comme il serait plus conciliant et plus digne de la candeur chrétienne de favoriser l'activité des érudits, et, si par hasard il leur échappe une inadvertance, ou de fermer les yeux ou de l'interpréter avec bienveillance, plutôt que de chercher à la leur reprocher d'une façon hostile et de se conduire en sycophante, et non pas en théologien ! Comme il vaudrait mieux, par un mutuel concours, enseigner ou s'instruire, et, pour employer les termes de Jérôme, s'ébattre dans le champ des lettres sans se faire de mal ! Mais ce qui étonne chez ces gens-là, c'est leur manque total d'impartialité. Trouvent-ils en lisant certains auteurs une erreur des plus manifestes, ils recourent à un frivole prétexte pour la défendre; ils sont d'une telle mauvaise foi envers d'autres qu'il n'est rien qu'ils peuvent dire avec une circonspection suffisante pour éviter tout prétexte de calomnie. Comme il serait préférable, au lieu d'agir ainsi, au lieu de déchirer et de se faire déchirer à leur tour, en perdant à la fois leur propre temps et celui des autres, qu'ils apprissent le grec, l'hébreu, ou tout au moins le latin! La connaissance de ces langues a une telle importance pour la science des saintes Écritures qu'il me semble être éperdument impudent pour qui les ignore de prétendre au nom de théologien.

XXV. — Aussi, excellent Martin, en raison de mes bons sentiments pour toi, je ne cesserai de t'exhorter, comme je l'ai fait souvent jusqu'ici, à joindre à tes connaissances au moins l'étude du grec. Tu as une sorte de bonheur d'esprit vraiment rare. Ton style solide, nerveux, coulant et abondant annonce non seulement du bon sens, mais encore de la fécondité. Tu es non seulement dans la force de ton âge, mais encore dans sa verdeur et dans sa fleur. Tu viens d'achever avec succès le cours ordinaire des études. Crois-moi, si à de si brillants débuts tu ajoutes le couronnement de la littérature grecque, j'ose me promettre, à moi et aux autres, que tu accompliras de grandes choses, et qu'aucun des modernes théologiens qui t'ont précédé ne te dépassera. Si tu es en disposition de croire qu'il faille, par amour pour la véritable piété, mépriser toute l'érudition humaine; si tu penses qu'on parvient plus vite à la sagesse par une transfiguration dans le Christ, et que tout ce qui mérite d'être connu se découvre plus complètement à l'aide des lumières de la foi qu'à celle des livres des hommes, je souscrirai volontiers à ton avis. Mais si, comme le comporte l'état des choses humaines, tu te fais fort de connaître vraiment la théologie, sans savoir les langues, celle surtout dans laquelle on nous a transmis les saintes Écritures, tu es complètement dans l'erreur. Plaise au ciel que je puisse t'en convaincre autant que je le désire, car je le désire autant que je t'aime et autant que je m'intéresse à tes études : or je t'aime de tout mon cœur et je m'intéresse à toi de tout mon être. Si je ne puis te persuader, accorde du moins à mes prières d'en courir le risque. Je ne me déroberai à aucun châtiment, si tu ne reconnais pas que mon conseil était amical et sûr. Si tu attribues quelque prix à l'amitié que j'ai pour toi, quelque poids à notre communauté de patrie, si tu fais cas, je n'oserais dire de ma science, mais du moins de mes laborieux travaux littéraires, si tu fais cas de mon âge (car, sous le rapport des années, je pourrais être ton père), laisse-moi obtenir de toi ce que je désire, soit de bon gré, soit d'autorité, à défaut d'arguments. Il ne me semblera que je suis éloquent, comme tu veux bien me l'accorder, que si je te persuade. Si j'y réussis, nous aurons à nous réjouir l'un et l'autre, moi de t'avoir donné ce conseil, et toi de l'avoir suivi. Et toi qui es dès maintenant le plus cher de tous mes amis, tu me deviendras beaucoup plus cher encore parce que je t'aurai rendu plus cher à toi-même. Sinon, je crains que, dans un âge plus avancé et instruit par l'expérience, tu n'approuves mon conseil et ne condamnes ta résolution, et que, comme il arrive presque toujours, tu ne te rendes compte de ton erreur que quand il sera trop tard pour y remédier. Je pourrais t'énumérer par leur nom une foule de personnes qui, sous des cheveux blancs, sont redevenus enfants en apprenant cette langue, parce qu'enfin elles avaient remarqué que sans elle l'étude des lettres était manchote et aveugle. Mais en voilà déjà beaucoup trop sur ce point.

XXVI. — Pour en revenir à ta lettre, comme tu crois que le seul moyen d'apaiser la haine des théologiens et de reconquérir leur ancienne faveur serait d'opposer par une sorte de palinodie les louanges de la Sagesse à l'éloge de la Folie, tu me recommandes vivement et me conjures de le faire. Moi, mon cher Dorpius, qui ne méprise que moi-même, et qui désirerais, s'il se pouvait, faire l'apaisement général, je ne reculerais pas à entreprendre cette tâche si je ne prévoyais que la haine qui a pu naître chez un tout petit nombre de gens malhonnêtes et ignorants, loin de s'éteindre, irait s'exaspérant. Aussi estimé-je qu'il vaut mieux « ne pas remuer le mal assoupi et ne pas toucher à cette Camarine [667] ». Il est préférable, si je ne me trompe, de laisser le temps à cette hydre de mourir.

XXVII. — J'en arrive maintenant à la seconde partie de ta lettre. Tu approuves fort le soin que je prends à rétablir le texte de Jérôme [668], et tu m'encourages à de pareils travaux. Tu y encourages, à vrai dire, un homme qui court déjà, et qui a d'ailleurs moins besoin d'encouragement que de secours, tant il y a de difficulté dans sa tâche. Je voudrais que désormais tu ne me crusses en rien, si je ne dis pas ici l'exacte vérité. Ces gens que choque si fort la *Folie* n'approuveront pas non plus la publication du texte de Jérôme. Ils ne sont pas beaucoup plus justes envers Basile [669], Chrysostome [670], Naziance [671] qu'envers nous, sauf qu'ils se déchaînent plus librement contre nous; quelquefois d'ailleurs, dans leur irritation, ils ne craignent pas de traiter indignement ces lumineux esprits. Ils redoutent les belles-lettres, et ils tremblent pour leur tyrannie. Pour que tu te rendes compte que mes pressentiments ne sont pas téméraires, je te dirai que quand j'eus commencé mon ouvrage et que le bruit s'en fut répandu, des hommes qui passent pour pondérés et qui se croient des théologiens remarquables accoururent supplier l'imprimeur, par tout ce qu'il y a de sacré, de n'admettre ni grec ni hébreu, car ces écrits présentaient un immense danger sans aucun avantage et n'étaient bons qu'à satisfaire la curiosité. Quelque temps auparavant, comme j'étais en Angleterre, le hasard fit que je me trouvai à table avec un franciscain, partisan du premier Scot [672], qui passe aux yeux de la foule pour très savant, et aux siens pour ne rien ignorer. Quand je lui eus exposé ce que je voulais faire pour Jérôme, il fut vivement étonné qu'il y eût dans les livres de ce dernier quelque chose que des théologiens ne comprissent pas : or c'était un homme si ignorant que je me demande si, dans tous les ouvrages de Jérôme, il comprenait trois lignes comme il faut. Le savoureux personnage ajoutait que, si j'étais embarrassé pour mes notices sur Jérôme, Briton [673] avait tout expliqué lumineusement. Je te le demande, mon cher Dorpius, que peut-on faire avec de tels théologiens, ou que peut-on leur souhaiter d'autre qu'un sûr médecin qui guérisse leur cerveau ? Et pourtant ce sont quelquefois des gens de cette farine qui, dans une assemblée de théologiens, crient le plus fort; ce sont eux qui prononcent sur le Christianisme. Ils redoutent et abhorrent, comme un danger mortel et comme un fléau, ce que saint Jérôme, ce qu'Origène [674] lui-même, dans sa vieillesse, a acquis à force de sueurs pour être vraiment un théologien. Augustin, déjà évêque et déjà vieux, déplore dans les livres de ses *Confessions* d'avoir reculé, étant jeune, devant des études qui, pour l'explication des saintes Écritures, auraient pu lui être si utiles. S'il y a danger, je ne craindrai pas un péril que des hommes si sages ont affronté. S'il y a curiosité, je ne saurais être plus saint que Jérôme, laissant juges de l'honneur qu'ils lui font ceux qui traitent de curiosité ce qu'il fit.

XXVIII. — Il existe un très vieux décret du Sénat Pontifical sur l'institution de docteurs chargés de l'enseignement public de plusieurs langues, tandis que pour l'étude de la Sophistique et de la philosophie d'Aristote il n'y a nulle part rien de prévu, à moins que les décrets ne mettent précisément en doute l'utilité de cette étude. Elle est d'ailleurs déconseillée par beaucoup de grands auteurs. Pourquoi négligeons-nous ce que l'autorité des Pontifes a ordonné, pour n'embrasser que ce qui est mis en doute, et même déconseillé ? D'ailleurs ils ont agi avec Aristote comme avec les saintes Écritures. On trouve partout la Némésis, vengeresse des mépris de la langue. Ici encore, çà et là, ils divaguent, ils rêvent, ils sont aveugles, ils se cassent le nez, ils profèrent de pures énormités. C'est à ces théologiens distingués que nous devons de ne posséder qu'un si petit nombre de cette foule d'écrivains que Jérôme recense dans son *Catalogue* [675], parce qu'ils écrivaient ce que « nos maîtres » ne pouvaient comprendre. C'est à eux que nous devons un saint Jérôme si défectueux et si mutilé que les autres ont plus de mal à en rétablir le texte qu'il n'en a eu lui-même à l'écrire.

XXIX. — Pour ce que tu m'écris en troisième lieu sur le *Nouveau Testament* [676], je me demande en vérité ce qui t'est arrivé et où tu as pu tourner les regards si perspicaces de ton intelligence. Tu ne voudrais m'y voir rien changer, sauf si le grec présente un sens plus clair, et tu affirmes qu'il n'y a pas la moindre faute dans l'édition dont nous nous servons communément. Tu considères comme un sacrilège d'ébranler en quoi que ce soit un édifice qui a reçu l'approbation de tant de siècles unanimes et de tant de synodes. Je t'en conjure, très érudit Dorpius, si tu es dans le vrai, dis-moi donc pourquoi Jérôme, pourquoi Augustin, pourquoi Ambroise font fréquemment des citations qui diffèrent de ce que nous lisons. Pourquoi Jérôme critique-t-il et corrige-t-il nommément tant de passages qui sont pourtant gardés dans cette édition ? Que feras-tu en présence de tant de concordances, c'est-à-dire quand les textes grecs ont une leçon différente, que Jérôme la cite en exemple, que les manuscrits latins la reproduisent, et que le sens lui-même cadre mieux avec le sujet ? Est-ce que par hasard, en dépit de tous ces témoignages, tu suivras ton texte, probablement altéré par un copiste ? Personne ne soutient qu'il y ait le moindre mensonge dans les saintes Écritures, puisque c'est cette conséquence que tu en tires, et il ne s'agit pas du tout ici du duel de Jérôme et d'Augustin. Mais ce qui est la vérité criante, et ce que même un aveugle, comme on dit, est capable de voir, c'est que souvent, par l'inhabileté ou par la négligence du traducteur, le grec a été mal rendu; que souvent une leçon exacte et fidèle a été altérée par des copistes ignorants (comme nous le voyons tous les jours), parfois même modifiée par des demi-savants peu attentifs. Lequel favorise plus le mensonge, de celui qui corrige et rétablit le texte, ou de celui qui aime mieux laisser une faute que de l'enlever ? D'autant plus que le propre des textes corrompus est qu'une faute en entraîne une autre. Nos modifications portent d'une façon générale plus sur l'expression que sur le sens, quoique souvent le sens dépende pour une grande part de l'expression. Mais il n'est pas rare qu'on se soit complètement fourvoyé. En ce cas, je te le demande, à quoi ont recours Augustin, et Ambroise, et Hilaire, et Jérôme, sinon aux sources grecques. Et bien que cette méthode ait même été approuvée par les décrets ecclésiastiques, tu tergiverses et tu cherches à la réfuter ou plutôt à l'éluder par une distinction. Tu dis qu'en ce temps-là les textes grecs étaient plus corrects que les latins, mais qu'aujourd'hui c'est tout le contraire et qu'il ne faut pas se fier aux livres de ceux qui se sont éloignés de l'Église romaine. J'ai peine à croire que tu sois de cet avis. Comment! nous ne lirons pas les livres de ceux qui se sont éloignés de la foi chrétienne ? Pourquoi donc accorde-t-on tant d'autorité à Aristote, un païen qui n'a jamais eu rien à faire avec la foi ? Le peuple juif tout entier s'est éloigné du Christ; les *Psaumes* et les *Prophètes*, écrits dans leur langue, n'auront-ils donc à nos yeux aucun poids ? Compte donc tous les points sur lesquels les Grecs ne s'accordent pas avec les Latins orthodoxes : tu n'en trouveras aucun, qui ait son origine dans les paroles du *Nouveau Testament* ou qui s'y rattache. C'est seulement sur le mot « hypostase », sur la procession du Saint-Esprit, sur les cérémonies de la consécration, sur le pouvoir du Pontife Romain que porte leur controverse. Et ils ne tirent pas leurs preuves de textes falsifiés. Que diras-tu en voyant la même interprétation dans Origène, dans Chrysostome, dans Basile, dans Jérôme ? Est-ce que par hasard en ce temps-là on avait falsifié les textes grecs ? A-t-on jamais trouvé une seule falsification dans les textes grecs ? Au reste pourquoi auraient-ils eu l'intention de les falsifier, puisqu'ils n'en tirent pas argument pour défendre leurs dogmes ? Ajoute que Marcus Tullius, qui n'était point par ailleurs trop juste pour les Grecs, avoue lui-même qu'en toute espèce de science les textes grecs étaient plus purs que les nôtres. En effet la différence des lettres, les accents, la difficulté même de l'écriture, sont cause qu'on y peut moins faire de fautes, ou que, s'il s'en produit, on peut plus facilement y remédier.

XXX. — En me disant de ne pas m'écarter de cette édition approuvée sans doute par tant de conciles, tu fais comme les théologiens vulgaires, qui ont coutume d'attribuer à l'autorité ecclésiastique tout ce qui est passé dans le commun usage. Cite-moi un seul synode où l'on ait approuvé cette édition. Car comment approuver ce dont personne ne connaît l'auteur ? Ce n'est point Jérôme, ses préfaces elles-mêmes l'attestent. Mais admettons qu'un synode l'ait approuvé : l'a-t-il approuvé pour qu'on ne puisse plus le modifier d'après les sources grecques ? A-t-il approuvé toutes les fautes, qui ont pu s'y glisser de différentes manières ? Le décret des Pères a-t-il été conçu en ces termes : « Cette édition, nous ne savons pas quel en est l'auteur, mais cependant nous l'approuvons; nous ne voulons pas qu'on y change rien, même si les textes grecs les plus corrects sont différents, même si Chrysostome, Basile, Athanase, Jérôme en ont fait une lecture différente, et quand bien même leur leçon cadrerait mieux avec le sens de l'Évangile; pourtant, dans tout le reste, nous approuvons fort ces mêmes auteurs. Bien plus, tout ce qui aura été à l'avenir, d'une façon quelconque, corrompu, altéré, ajouté ou omis, soit par des demi-savants et des audacieux, soit par des copistes inhabiles, ivres ou négligents, nous l'approuvons avec la même autorité et nous voulons que personne ne puisse rien changer au texte une fois admis. » — C'est un décret ridicule, dis-tu. — Mais il doit être de cette sorte, si tu invoques l'autorité d'un synode pour nous détourner de ce travail. Enfin que dirons-nous en voyant que les exemplaires de cette édition ne s'accordent pas ? Est-ce que par hasard le synode a approuvé aussi ces contradictions, ayant prévu sans doute les changements que chacun y pourrait apporter ?

XXXI. — Ah ! plût au ciel, mon cher Dorpius, que les Pontifes Romains eussent assez de loisir pour publier sur ce point des arrêts salutaires, grâce auxquels on saurait ce qu'il faut faire pour rétablir les œuvres monumentales des bons auteurs, pour en préparer et en redonner des éditions corrigées ! Mais je ne voudrais pas voir siéger dans ce conseil ces gens qu'on nomme, bien à tort, théologiens, qui ne visent qu'à mettre en relief ce qu'ils ont appris. Or qu'ont-ils donc appris qui ne soit aussi inepte que confus ? Avec ces tyrans-là il arrivera qu'en dépit des meilleurs auteurs de l'antiquité le monde sera forcé de tenir leurs nénies pour des oracles ; or elles sont si dépourvues de bonne érudition que j'aimerais beaucoup mieux être un artisan même médiocre que le premier de leur bande, en n'ayant pas une science de meilleur aloi. Voilà des gens qui ne veulent pas qu'on rétablisse un texte, crainte de sembler avoir ignoré quelque chose. Ils nous opposent l'autorité fictive des synodes ; ils exagèrent la grande crise de la foi chrétienne ; ils accréditent les dangers de l'Église (qu'ils portent apparemment sur leurs épaules, mieux faites pour porter la charrue) et d'autres fumées de cette sorte auprès de la foule ignorante et superstitieuse, qui les prend pour des théologiens et dont ils ne voudraient pas anéantir l'opinion qu'elle a d'eux. Ils craignent que, quand ils citent de travers les saintes Écritures, comme ils le font souvent, on ne leur jette à la figure l'autorité de la vérité grecque ou hébraïque, et qu'il n'apparaisse bientôt que leurs soi-disant oracles ne sont que des rêveries. Saint Augustin, ce grand homme, qui est en outre un évêque, ne craint pas d'être instruit par un enfant d'un an. Mais ces gens-là aiment mieux mettre tout sens dessus dessous que de sembler ignorer quoi que ce soit au point de vue de l'érudition absolue.

XXXII. — D'ailleurs je ne vois rien là qui touche beaucoup à la sincérité de la foi chrétienne ; et si cela y touchait, ce serait une raison de plus de bien travailler. Il n'y a pas de danger qu'on s'écarte tout d'un coup du Christ en apprenant par hasard qu'on a trouvé dans les Livres saints un passage qu'un copiste ignorant ou somnolent a altéré ou que je ne sais quel traducteur a rendu peu exactement. Ce danger tient à d'autres causes, que je tais prudemment ici. Combien il serait plus chrétien, écartant ces querelles, de contribuer volontairement, chacun dans la mesure de ses forces, au bien commun, de s'y donner de bonne foi, d'apprendre à la fois sans arrogance ce qu'on ignore et d'enseigner sans jalousie ce que l'on sait! S'il en est qui sont trop illettrés pour enseigner comme il faut ou trop orgueilleux pour apprendre quelque chose, laissons-les tranquilles, puisqu'ils sont peu nombreux, et occupons-nous des bons esprits ou du moins de ceux qui donnent bon espoir. J'ai montré jadis mes notes encore informes, encore chaudes de la forge comme on dit, à des personnes fort intègres, à de très grands théologiens, à de très savants évêques : ils reconnaissaient que ces ébauches telles quelles les avaient éclairés de beaucoup de lumière pour la connaissance des saintes Écritures.

XXXIII. — Je savais que Laurent Valla [677], comme tu le dis, s'était avant nous occupé de ce travail, puisque c'est moi qui ai publié le premier ses annotations [678], et j'ai vu les commentaires de Jacques Le Febvre [679] sur les Lettres de Paul. Plût au ciel qu'ils eussent travaillé de façon à rendre notre travail inutile! Je tiens certes Valla pour un homme digne des plus grands éloges, plus rhéteur que théologien, qui s'est employé dans son travail sur les saintes Écritures à comparer le grec et le latin, alors qu'il ne manque pas de théologiens, qui n'ont jamais lu d'un bout à l'autre et dans le détail l'ensemble du Testament; mais je ne suis pas de son avis en maints endroits, surtout en ce qui touche à la partie théologique. Jacques Le Febvre avait en main ses commentaires quand nous préparions notre ouvrage, et il est fâcheux que même dans nos entretiens des plus familiers nous n'ayons jamais eu l'idée l'un et l'autre de parler de notre projet. Je n'ai pas connu ce qui l'occupait avant l'impression de son ouvrage. J'applaudis vivement à son effort; mais nous ne sommes pas non plus de son avis en maints endroits, et avec regret, puisque avec un tel ami nous aurions voulu être d'accord en tout, si on ne devait pas tenir compte plus de la vérité que d'un ami, surtout à l'égard des saintes Écritures. Mais je ne vois pas bien pourquoi tu m'opposes ces deux auteurs. Est-ce pour me détourner d'un travail que tu considères comme accompli ? Il apparaîtra que même après de si grands hommes ce n'est point sans raison que j'ai entrepris cette tâche. Veux-tu dire que les théologiens n'approuvent pas leur travail ? Je ne vois vraiment pas en quoi Laurent a pu s'attirer ce vieux ressentiment. J'entends applaudir Le Febvre par tout le monde. A quoi bon dire d'ailleurs que nous faisons un travail qui n'a rien de commun. Laurent s'est borné à annoter quelques passages, et cela, comme on le voit, en courant et, comme on dit, d'une main légère. Le Febvre n'a publié de commentaires qu'aux Lettres de Paul, en les traduisant à sa façon, et en signalant au passage les points controversés. Nous, nous avons traduit l'ensemble du *Nouveau Testament* d'après les textes grecs en mettant le grec vis-à-vis, pour qu'on puisse immédiatement comparer. Nous avons ajouté des notes à part, où nous montrons, soit par des preuves, soit par l'autorité de vieux théologiens, que nous n'avons point fait de modification à la légère, et cela pour qu'on se fie à nos corrections, et qu'on ne puisse altérer facilement ce que nous avons corrigé. Plût au ciel que nous puissions mener à bien une œuvre que nous avons poursuivie avec zèle! Pour ce qui touche aux affaires de l'Église, je ne craindrai pas de dédier ce faible produit de mes veilles à tout évêque, à tout cardinal et même à tout Souverain Pontife, pourvu qu'il soit pareil à celui que nous avons [680]. Enfin je ne doute pas que toi aussi tu me félicites un jour d'avoir publié ce livre, bien que tu m'en dissuades maintenant, une fois que tu auras un peu goûté d'une langue sans laquelle on ne peut pas juger de ces choses-là comme il faut.

XXXIV. — Vois, mon cher Dorpius, comme tu as, par la même démarche, acquis une double reconnaissance : celle des théologiens, au nom desquels tu as rempli avec tant de zèle ta mission; et la mienne, en me témoignant par un avis si amical ton affection pour moi. A ton tour tu nous donneras une égale satisfaction en te rendant, si tu es sage, au conseil d'un ami comme nous qui ne veut que ton bien, plutôt qu'à celui de ces gens qui ne brûlent d'attirer dans leur faction un esprit fait comme le tien pour d'éminents travaux que pour renforcer leurs troupes par l'adjonction d'un si grand capitaine. Qu'ils prennent un meilleur parti, s'ils le peuvent; sinon, prends toi-même le parti le plus sage. Si tu ne peux les rendre meilleurs, comme je voudrais te le voir tenter, prends garde du moins qu'ils ne te rendent moins bon. Fais en sorte de plaider ma cause auprès d'eux avec la même ardeur que tu as plaidé la leur auprès de moi.

Tu les calmeras autant que faire se peut et tu les persuaderas que j'agis comme je le fais non pour outrager ceux qui ignorent ces langues, mais dans l'intérêt public général, que tout le monde peut servir, s'il le veut, sans s'y croire obligé, s'il aime mieux s'abstenir; tu ajouteras que s'il se lève quelqu'un qui puisse ou qui veuille enseigner mieux que je n'ai fait, je serai le premier à déchirer et à annuler notre travail, et à me ranger à son avis.

XXXV. — Présente mes salutations à Jean Paludanus [681], en lui faisant partager avec toi cette défense de la *Folie*, à cause des commentaires que lui a dédiés notre ami Lister [682]. Recommande-moi bien au très savant Névius [683], au très aimable Nicolas de Béveris, curé de Saint-Pierre. L'abbé Ménard, que tu combles d'éloges si magnifiques, et, à en juger par ton caractère, si vrais, m'inspire à cause de toi affection et respect, et je n'omettrai pas, dans mes ouvrages, à la première occasion, d'en parler honorablement. Porte-toi bien, toi que je chéris le plus au monde, mon cher Dorpius [684].

Anvers, 1515.

NOTES

1. Érasme naquit à Rotterdam, le 26 octobre d'une année qui demeure incertaine (1466 ? 1467 ?), fils illégitime, comme on sait, de Gérard Praët, originaire de Gouda, et d'une mère prénommée Marguerite, qui était elle-même la fille d'un médecin de Sevenbergen. Une statue, fondue en 1622 par Keiser, commémore, au centre de Rotterdam, la naissance de l'illustre humaniste en cette ville.

2. Érasme avait, semble-t-il, rencontré pour la première fois Thomas Morus, avec qui il devait par la suite entretenir une sûre amitié, lors de son premier séjour en Angleterre, en 1497. A cette époque Morus commençait sa seconde année de droit; Érasme et lui se virent sans doute chez William Blount, lord Mountjoy, que l'humaniste déjà célèbre avait eu à Paris pour élève. Lorsque, vers la fin de 1505, Érasme repassa la Manche, il descendit cette fois chez Morus, marié depuis quelques mois et où fréquentait assidûment une académie d'hellénistes : Colet, Grocyn, Linacre et Lilly; il traduisit alors en latin avec Morus plusieurs dialogues de Lucien. A sa troisième venue en Angleterre, en 1509, il s'installa encore chez Morus, qui le pressa d'écrire l'*Éloge de la Folie*, qu'Érasme avait conçu quelques semaines plus tôt en chevauchant au caprice de sa mule.

On sait qu'élu en 1503 membre du Parlement Morus, qui était de dix ans le cadet d'Érasme, fut chargé par Henri VIII de diverses ambassades, tant en Flandre (1515) qu'en France (1517), et comblé d'honneurs à la cour. En 1518, il publiait sa célèbre *Utopie*, où il proposait le plan idéal d'une société bien réglée. En 1529, il était fait grand chancelier d'Angleterre; mais, ayant refusé en 1532 de reconnaître la validité du divorce d'Henri VIII, il dut se démettre de sa charge, puis se vit accuser de trahison et fut condamné à mort. On le décapita à la Tour de Londres le 6 juillet 1535.

Partisan des idées réformatrices d'Érasme et de Colet, mais adversaire déterminé du séparatisme luthérien, le grand homme d'État et le grand homme de lettres que fut sir Thomas Morus a été aussi un homme d'une foi constante et d'une piété exemplaire. « Esprit et bonté, sagesse et courage, a écrit l'abbé Bremond, rien ne manque à ce saint moderne pour être compté parmi les plus chers des protecteurs et des modèles. » Cf. Henri Bremond, *Le Bienheureux Thomas Morus* (1478-1535), 1 vol., Lecoffre, 1930.

3. Après un séjour de près de trois ans en Italie (août 1506-juin 1509), Érasme, sur les instances de ses amis d'Angleterre, s'était décidé à retourner en Grande-Bretagne, où Henri VIII, qui aimait beaucoup l'humaniste, venait de monter sur le trône de ses ancêtres; par Bologne, la Suisse et le Rhin, il avait gagné Anvers, où il s'était embarqué pour Londres. Chemin faisant, et la mémoire encore fraîche de tout ce qu'il avait vu des sottises humaines, il avait conçu l'idée de l'*Éloge de la Folie*, qu'arrivé chez Thomas Morus il rédigea ensuite en une semaine, environ le mois d'août 1509.

4. Citation de l'*Odyssée*, XXI, 1.

5. C'est le nom de la folie en grec (Μωρία). L'ouvrage fut d'abord intitulé *Moriae Encomium*, deux mots grecs qui correspondent au latin *Stultitiae Laus*, qu'on a pris l'habitude de traduire par *Éloge de la Folie*.

6. Démocrite d'Abdère, philosophe grec du ve siècle av. J.-C., pour qui le bien suprême consistait dans l'affranchissement des vaines terreurs et qui trouvait constamment comique, dit-on, le spectacle de l'humanité. Cf. Juvénal, *Sat.*, X, 28-30; Sénèque, *De Ira*, II, 10, 5.

7. C.-à-d. au sens latin du mot : exercice d'école.

8. Citation de Catulle, XII, 13 : *Verum est mnemosynon mei sodalis.*

9. L'ancienne Comédie, dont Aristophane est le plus illustre représentant, déchirait les contemporains à belles dents.

10. Le mordant Lucien de Samosate, l'un des écrivains grecs qu'Érasme a le plus goûtés et dont il avait publié à Paris, en 1506, un choix de ses spirituels dialogues traduits partie par lui, partie par Thomas Morus. Cf. Érasme, *Ep.*, 475, recueil d'Allen, t. II.

11. Le Combat des rats et des grenouilles ou *Batrachomyomachie* n'est pas une œuvre d'Homère, comme le croyait Érasme, mais une parodie de l'*Iliade*, sous la forme d'un poème burlesque de 294 vers, qui ne semble pas remonter plus haut que le IVe siècle avant Jésus-Christ.

12. Le *Culex* (Le Moustique) est une épopée de 414 vers, mi-rustique, mi-infernale, qui entre dans la série des poèmes attribués à Virgile *(Appendix Vergiliana) :* on y voit un moustique piquer un berger endormi et près d'être mordu par un serpent, et le berger écraser son sauveur, qui lui apparaît la nuit en songe pour lui demander une sépulture. Sur les raisons d'attribuer ou non le *Culex* à Virgile, on nous permettra de renvoyer le lecteur à notre édition et traduction de l'Appendice Virgilien : *La Fille d'auberge*, etc., pp. 69-79 (Garnier, 1935).

13. Le *Moretum* (Le Cachat) est une « idylle » de 124 hexamètres où l'on voit un paysan romain se lever avant l'aurore afin de trouver prêt, quand il reviendra des champs, son repas de l'après-midi, un « cachat » ou fromage blanc assaisonné d'huile et d'herbes pilées. Le *Moretum* était entré au moyen âge, avec des pièces d'Ausone, dans l'*Appendix Vergiliana*. Sur les raisons de l'attribuer ou non à Virgile, cf. *La Fille d'auberge*, etc., trad. Maurice Rat, pp. 13-19 (Garnier, 1935).

14. La *Nux* est un poème de 182 vers (distiques élégiaques) dû vraisemblablement à un élève d'Ovide, où l'on voit un noyer se plaindre — non sans esprit — des insultes du passant, qui le meurtrit à coups de pierres pour faire tomber ses fruits. Ce poème fut publié avec les *Tristes* dans un manuscrit d'Ovide, le *Marcianus* 223, aujourd'hui à Florence; l'authenticité ovidienne de la *Nux* fut combattue dès le xve siècle, et Merkel, au xixe siècle, la rejeta tout à fait de son édition d'Ovide.

15. Busiris est un roi légendaire d'Égypte, qui, d'après la fable, faisait mettre à mort les étrangers qui pénétraient dans son royaume. Dans un discours intitulé *Busiris,* Isocrate blâme le sophiste Polycrate d'avoir louangé ce mythique tyran.

16. Glaucon, frère de Platon, avait écrit, au dire de Diogène Laerce, plusieurs dialogues, et l'un entre autres sur l'injustice, si l'on en croit Platon lui-même *(Rép.*, II, 2), qui le fait figurer comme interlocuteur dans sa *République* et dans son *Parménide.*

17. Favorinus est un rhéteur et sophiste gaulois, né à Arles vers la fin du Ier siècle de notre ère et mort vers 135, qui évolua du stoïcisme au scepticisme, fut en grande faveur auprès de l'empereur Hadrien et semble avoir été l'auteur d'un commentaire, aujourd'hui perdu, sur les dix articles du *Symbole sceptique*, attribué à Pyrrhon, et qui rédigea un important traité sur les *Tropes pyrrhoniens.* Il ne reste de lui que de rares fragments épars dans Diogène Laerce, Stobée, Aulu-Gelle etc.

18. Synésius de Cyrène, évêque de Ptolémaïs, philosophe et poète grec (env. 365-env. 415 ap. J.-C.), avait écrit entre autres œuvres un *Éloge de la Calvitie*, agréable badinage qui répond à l'*Éloge de la chevelure* de Dion Chrysostome.

19. Allusions aux opuscules de Lucien de Samosate intitulés l'un *Éloge de la Mouche*, l'autre *Sur le Parasite*, et où le spirituel essayiste loue sur le mode bouffon la mouche et le parasite. Ni l'un ni l'autre de ces opuscules, qui ne sont pas parmi les meilleurs de Lucien, ne figurent dans le recueil de ses œuvres choisies et traduites en latin par Morus et Érasme. Cf. note 10.

20. Il s'agit de l'*Apokolokyntose* ou transformation de Claude en citrouille (coloquinte) : on y voit Claude chassé après sa mort du séjour des immortels et entraîné aux enfers, où Éaque le condamne à jouer aux dés avec un cornet percé.

21. Dans le dialogue où l'on voit Gryllus, compagnon d'Ulysse qui fut changé en pourceau par Circé (le nom de Gryllus veut dire en grec pourceau), essayer de convaincre Ulysse que la vie des animaux est plus agréable que celle des humains.

22. *L'Ane* de Lucien et *L'Ane d'or d'*Apulée.

23. Testament bouffon datant du IIIe siècle, qui servait à amuser les écoliers. Corocotta, κροκόττας, est le nom d'un animal d'Éthiopie qui tient de l'hyène et du cochon et Grunnius signifie « le grognon ».

24. Cf. *Proœm. in XII Comm. Esaiae,* t. V, p. 154. — Érasme connaissait bien saint Jérôme, dont il devait, en 1516, publier à Bâle les œuvres complètes; réédition en 1553.

25. Citation d'Horace, *Sat.*, II, 3, 248 :

...equitare in arundine longa.

« Bâtir de petites maisons, dit Horace, atteler des souris à un petit char, jouer à pair impair, chevaucher un manche à balai, ce sont, si l'on a barbe au menton, jeux à vous faire traiter de fou. »

26. Souvenir d'Horace, *Epod.*, XII, 2.

27. « Le rustre, dit Horace, est tout prêt à se battre, si l'on dit devant lui *laine* et non *poils* de chèvre », *Ep.*, I, 18, 15-16.

28. Érasme use du mot grec φιλαυτία, « amour-propre », sur lequel disserte Plutarque (*Mor.*, 48 F.), et qu'on trouve transcrit littéralement par Rabelais en plusieurs passages de son *Gargantua* et de son *Pantagruel.*

29. Citation de Lucien, *Le Songe ou le Coq*, 1 : ἐς τὰ ἄλφιτα. — Cf. aussi Aristophane, *Les Nuées*, 638. La même idée est exprimée par Érasme dans les *Adages*, III, 6, 3.

30. Aucune date ne figure ici dans les premières éditions. L'édition de Bâle (Froben), juillet 1522, indique pour la première fois une date : celle du 9 juin 1508. Elle est inadmissible. On a proposé 1511 (Lupton, *The Utopia of Sir Thomas More*, Oxford, 1895, p. XXVI, note 2); 1510 (Kan, édition de l'*Éloge*, la Haye, 1898, p. VII, note 41); 1509 (P. de Nolhac, *Érasme en Italie*, Paris, 1898, p. 93). Il est probable que la lettre-préface d'Érasme à Thomas Morus a été écrite en 1509, en même temps que l'ouvrage, c.-à-d. au mois d'août et à la campagne; et qu'elle a été revue au moment de l'impression, à Paris, fin avril-mai-juin 1911, et datée alors par Érasme du 9 juin.

31. Citation de Térence, *Adelphes*, 839.

32. Herbe dont le suc, mélangé au vin, faisait oublier les soucis; cf. *Odyssée*, IV, 220 :

Νηπενθές τ'ἄχολόν τε, κακῶν ἐπίγηθον ἁπάντων.

33. L'antre où avait été englouti Trophonius, meurtrier de son frère Agomède, et qui se trouvait dans le bois sacré de Lébadée, en Béotie, possédait un oracle qui remplissait de tristesse pendant leur vie entière tous ceux qui venaient le consulter. Cf. Homère, *In Apoll.*, 296 ; Pausanias, IX, 37, 3. — Érasme parle aussi des échappés de l'antre de Trophonius en ses *Adages*, I, 7, 77.

34. Souvenirs d'Horace, *Od.*, I, 4, 1; III, 7, 2; IV, 5, 6.

35. Érasme fait aussi mention en ses *Adages* (I, 3, 67) de la mésaventure de Midas, dont Apollon changea les oreilles en oreilles d'âne pour avoir préféré la flûte de Pan à la lyre du dieu. Cf. Hérodote, VII, 73; Cicéron, *Div.*, I, 36; *Tusc.*, I, 48; Ovide, *Mét.*, XI, 90, 146 sq.

36. Locution grecque pour dire qu'on fait son propre éloge αὐτὸς αὑτὸν αὐλεῖ (m. à m. il est son propre flûtiste).

37. Proverbe grec qu'Érasme a déjà cité et commenté dans ses *Adages*, I, 4, 50.

38. Proverbe grec déjà cité et commenté dans les *Adages*, I, 9, 69.

39. Cf. note 15.

40. Phalaris ou Pholaris, tyran cruel d'Agrigente (670-594 av. J.-C.), dont l'éloge a été écrit par Lucien de Samosate.

41. Cf. note 17.

42. Cf. note 18.

43. Locution déjà citée et commentée dans les *Adages*, I, 5, 73.

44. Souvenir d'Homère, *Odyssée*, VIII, 325 : δωτῆρες ἐάων.

45. Cicéron, *Lettres à Atticus*, XIV, 13 : *Non enim solum ex oratione, sed etiam ex vultu et oculis et fronte, ut aiunt*, etc.

46. Cf. *Adages*, I, 7, 10.

47. Cf. *Adages*, I, 3, 66.

48. Locution grecque proverbiale; cf. *Adages*, III, 7, 26. — Thalès de Milet (636?-546? av. J.-C.). mathématicien et philosophe, fondateur de l'École ionienne, était l'un des sept sages de la Grèce antique.

49. Le mot est de Lucien, *Alex.*, 40. On le trouve reproduit dans Rabelais, *Tiers Livre*, XLVI : « Notre morosophe Triboulet. »

50. Cf. *Adages*, II, 4, 84, et Ovide, *Mét.*, IV, 586.

51. Cf. *Adages*, I, 1, 35 : « Un trait du caractère de l'âne, c'est de remuer de temps à autre l'oreille, pour montrer qu'il a déjà compris, alors qu'il n'a rien compris du tout. » On trouve le même proverbe dans Rabelais, *Le Tiers Livre*, *Prologue* : « Ceulx qui chauvent des aureilles comme asnes de Arcadie au chant des musiciens. »

52. Le chaos, c.-à-d. « l'espace béant », était, au dire d'Hésiode, à l'origine du monde : Πρώτιστα Χάος γένετο, *Théogon.*, 116.

53. Orcus est le nom d'une vieille divinité italique des enfers (anciennement *Uragus* d'après Verrius Flaccus, chez Festus, 222, 6) que les poètes latins assimilent souvent à Pluton.

54. Saturne, roi fabuleux de l'Italie que les Romains ont toujours identifié avec le grec Chronos et dont ils ont fait par suite le père de Jupiter, de Junon, de Neptune, de Pluton, de Cérès et de Vesta. Cf. Hésiode, *Théogon.*, 507; Ovide, *Mét.*, I, 113.

55. Japet, l'un des Titans, fils du Ciel et de la Terre, père d'Atlas, de Prométhée, d'Épiméthée, de Ménœtius, dont les descendants sont souvent désignés sous le nom de Japétides; cf. Homère, *Il.*, VIII, 479; Hésiode, *Théog.*, 507; Virgile, *Géorg.*, I, 278.

56. Le dieu de la richesse, fils de Jasion et de Cérès.

57. Hémistiche fréquent des poèmes d'Homère et d'Hésiode, appliqué ici paradoxalement à Plutus.

58. Les grands Dieux étaient au nombre de douze selon certains auteurs, de vingt selon Varron.

59. Entendez que, sans les libations des sacrifices, ils seraient réduits au nectar et à l'ambroisie. Cf. Lucien, *Des sacrifices*, IX.

60. La jeunesse (*Juventas* ou *Juventus* chez les Latins, Hébé chez les Grecs), fille de Jupiter et de Junon, épouse d'Hercule au ciel, lui donna un fils, Anicetus, et une fille, Alexiare. Érasme imagine ici que lorsque la Jeunesse (Hébé) servait à la table des dieux, elle fut aimée de Plutus, dont elle eut une fille, la Folie.

61. L'expression d'Homère (*Od.*, VIII, 271; *Il.*, XIV, 295) est appliquée par Érasme aux amours furtives, qu'il oppose aux liens du mariage : Vulcain, fils légitime de Jupiter et de Junon, naquit en effet boiteux et faible.

62. Allusion à la comédie d'Aristophane de ce nom.

63. Expression d'Horace, *Od.*, III, 14, 27.

64. Où il avait été servi par Hébé (la Jeunesse).

65. Cf. Ovide, *Mét.*, VI, 333. — Allusion à la naissance de Diane et d'Apollon, enfantés par Latone dans « l'île errante », que Jupiter fixa par des chaînes de diamant.

66. Allusion à la naissance de Vénus Anadyomène, qui sortit « de l'écume de l'onde ».

67. Expression de l'*Odyssée*, I, 73; IV, 403. — Allusion à la naissance de Thétis et de ses sœurs, les Néréides.

68. Les îles qui étaient le séjour des Bienheureux, et que les géographes anciens plaçaient au-delà des colonnes d'Hercule (aujourd'hui les Canaries). Cf. Pline, VI, 36.

69. Citation de l'*Odyssée*, IX, 109. Cf. aussi Horace, *Epod.*, 16, 42 sq. : « Gagnons les riches campagnes, les Iles Fortunées; chaque année, la terre, sans être cultivée, y prodigue le blé; la vigne, sans être taillée, y prospère; les branches de l'olivier y bourgeonnent et ne trompent jamais; la figue mûre y fait la beauté d'un arbre qu'on n'a pas à greffer; le miel y coule du creux des chênes; l'eau légère y tombe avec bruit du haut des montagnes. » (Trad. F. Richard.)

70. Cf. Horace, *Épod.*, XVI, 61 : « Les moutons n'y ont à craindre aucune maladie; les troupeaux n'ont pas à y souffrir de chaleurs excessives.»

71. Confusion, semble-t-il, d'Érasme, qui paraît prendre pour des plantes communes les scilles ou oignons de mer dont parle Horace en ses *Satires*, II, 4, 58; II, 8, 42.

72. Cf. *Odyssée*, X, 305. Le moly est une herbe merveilleuse aux racines noires et aux fleurs blanches, que Mercure donne à Ulysse pour le préserver des enchantements de Circé.

73. La panacée est une herbe merveilleuse qui, au dire de Pline (*H. N.*, XXV, 11), guérit, comme l'indique son nom, toutes les maladies.

74. Cf. note 32.

75. Cf. Homère, *Od.*, IX, 84. C'est l'herbe des Lotophages, qui habitaient, croit-on, sur la côte de Libye dans le voisinage de la petite Syrte.

76. Le jardin des fleurs éphémères. Cf. *Adages* d'Érasme, I, 1, 4.

77. Souvenir de Virgile, *Buc.*, IV, 62-63 :

...Qui non risere parenti
Nec deus hunc mensa, dea nec dignata cubili est.

« Celui qui n'a pas ri, enfant, à sa mère, n'est digne ni de la table des dieux ni du lit des déesses. »

78. Citation de l'*Iliade*, II, 403, etc.

79. Amalthée, chèvre qui allaita Jupiter dans l'île de Crète. Cf. Ovide, *Fast.*, V, 165 sq.

80. Déesses inventées par Érasme, qui donne d'ailleurs à la seconde un nom grec qui ne se trouve nulle part, *Apédie* pour *Apédeusie*.

81. Cf. note 28.

82. Nom forgé par Érasme, pour *Colacéie*, « la Flatterie ».

83. Ce nom se trouve dans Lucien, *Astrol.*, II, et désigne la Paresse, « ennemie de l'effort ».

84. Expression homérique, *Od.*, XIII, 79.

85. Pline, *H. N.*, II, 5 : *Deus est mortali juvare mortalem et haec ad aeternam gloriam via.*

86. Expression biblique : « Je suis, dit le Seigneur dans l'*Apocalypse* (I, 8), l'Alpha et l'Oméga, le principe et la fin. »

87. Épithète de Pallas dans l'*Iliade*, V, 747.

88. Épithète de Jupiter dans l'*Iliade*, I, 160, 470.

89. Appellation fréquente de Jupiter dans l'*Iliade*, cf. I, 125 et *passim*.

90. Cf. Virgile, *Én.*, IX, 106.

91. Cf. Ovide, *Mét.*, II, 848 :

... cui dextra trisulcis
Ignibus armata est...

Le même Ovide, dans l'épisode de Phaéton, montre le corps du héros enflammé et fumant « de la flamme trifide », *flamma trifida*.

92. Ce visage torve et farouche comme celui des Titans. Cf. Lucien : τιτανώδες βλέπειν, *Icarom.*, 23; *Philops.*, 22; *Tim.*, 54.

93. La barbe longue était, avec le manteau *(abolla)* et le bâton, l'insigne des philosophes de carrefour, cyniques et stoïciens. Cf. le proverbe grec ἐκ πώγωνος σοφός, et Horace, *Sat.*, I, 3, 133; II, 3, 35.

94. C.-à-d. aux nombres 1, 2, 3 et 4, qui indiquent les intervalles servant de base au système des Pythagoriciens, et par lequel quaternaire juraient les Pythagoriciens. Cf. Lucien, *Vit. auct.*, 4.

95. Allusion à l'invocation à Vénus que Lucrèce a mise en tête du *De Natura*.

96. Cf. Horace, *Od.*, I, 35, 12 : *purpurei tyranni*.

97. Vers de Sophocle, *Ajax*, 554.

98. Cf. Sénèque, *Œd.*, 607 : *gravis senectus sibimet*.

99. Expression de Lucien, *Saturn.*, 9. Cf. *Adages* d'Érasme, I, 5, 36.

100. Cf. note 68.

101. Expression virgilienne, *Én.*, VI, 715.

102. Cf. *Adages* d'Érasme, IV, 2, 100.

103. Il revient aux lettres *A. M. O.*, c.-à-d. au verbe *amo :* il recommence à aimer. Cf. Plaute, *Mercator*, 304.

104. Cf. *Iliade*, I, 249.

105. Cf. *Iliade*, III, 152.

106. Vers d'Homère, *Od.*, XVII, 218.

107. Allusion probable à la métamorphose de Daphné en laurier. Cf. Ovide, *Mét.*, I, 452-567.

108. Allusion probable à la métamorphose de Céyx et de sa femme Alcyone en martins-pêcheurs. Cf. Ovide, *Mét.*, XI, 410-742.

109. Allusion à la métamorphose de Tithon, frère de Priam. Cf. Ovide, *Fast.*, VI, 473; Virgile, *Én.*, IV, 585.

110. Allusion à la métamorphose de Cadmus. Cf. Ovide, *Mét.*, 571-603.

111. Épithètes que s'applique Horace à lui-même quand il se présente comme « un porc du troupeau d'Épicure », *Ep.*, I, 4, 15-16 :

Me pinguem et nitidum bene curata cute vises,
Cum ridere voles Epicuri de grege porcum.

112. Cf. *Adages* d'Érasme, II, 3, 59. — L'Acarnanie est le pays qui s'étendait entre la mer Ionienne au S. et à l'O., le golfe d'Ambracie et l'Épire au N., l'Étolie à l'E.

113. « Plus le Hollandais est vieux, dit le proverbe hollandais, plus il est bête », *Hoe ouder, hoe botten Hollander.*

114. Sur les talents magiques de Médée, voir Ovide, *Mét.*, VII, 162 sq.

115. Sur Circé, voir Homère, *Od.*, X, 137, et Ovide, *Mét.*, XIV, 10, 348, 399.

116. La fille de Memnon, roi des Éthiopiens, lui-même fils de Tithon et de l'Aurore, obtint de Jupiter qu'il transformât en cigale son aïeul Tithon, qui avait déjà obtenu des dieux l'immortalité, grâce aux prières de l'Aurore, mais non une éternelle jeunesse, si bien qu'il était devenu tout rabougri et racorni. Cf. Ovide, *Mét.*, XIII, 576-622.

117. Phaon, vieux batelier de Mytilène, ayant fait faire à Vénus une traversée sans accepter de paiement, fut transformé par Vénus en un beau jeune homme dont s'éprit Sapho, qui, se voyant dédaignée, se précipita du rocher de Leucade. Cf. Ovide, *Hér.*, XV; Lucien, *Dialogues des Morts*, 9, 2.

118. Souvenir probable des *Géorgiques*, II, 380-396, où Virgile décrit le culte de Bacchus.

119. C.-à-d. plus fou que « le Barbouillé » (surnom de Bacchus, au témoignage d'Athénée) : locution proverbiale sicilienne déjà recueillie par Érasme en ses *Adages*, II, 9, 1.

120. *Barbouiller... Morychos*, du grec *moryxai*, barbouiller.

121. Allusion aux *Grenouilles* d'Aristophane, où celui-ci parle sans vergogne de Dionysos (Bacchus), protecteur de l'art dramatique.

122. On sait que Bacchus eut pour mère Sémélé, fille de Cadmus, et que celle-ci, ayant reçu de Junon, qui lui apparut sous un déguisement, le conseil de prier Jupiter de se montrer à elle dans toute sa

gloire et tel qu'il approchait Junon elle-même, Jupiter y consentit malgré lui et se montra à Sémélé au milieu des éclairs et du tonnerre; Sémélé, environnée de flammes, mit au monde Bacchus avant terme, et il allait mourir, quand Jupiter le sauva en l'enfermant dans sa cuisse jusqu'à son parfait développement. Cf. Ovide, *Mét.*, III, 310; IV, 11 sq.

123. Épithète de Saturne dans Homère, de Prométhée dans Hésiode.

124. Pan, comme les autres dieux sylvestres, était redouté des voyageurs, auxquels il apparaissait parfois tout à coup en les frappant de terreur — d'une terreur qualifiée *panique*.

125. Cf. Lucien, *Pseud.*, 32. Sophocle qualifie aussi Pallas de déesse au regard farouche, γοργῶπις, *Ajax*, 452.

126. Réminiscence homérique, *Il.*, VIII, 524.

127. Expression homérique, *Od.*, VIII, 337.

128. Flore, déesse romaine des fleurs et du printemps, voyait sa fête annuelle, les *Floralies* (28 avril-1er mai), marquée par des débauches et des réjouissances de toute sorte. Cf. Ovide, *Fast.*, V, 183 sq.

129. Allusion aux sept mariages de Jupiter, qui, selon Hésiode, épousa tour à tour Métis, Thémis, Eurynome, Cérès, Mnémosyne, Latone et Junon, et à ses amours presque innombrables avec de simples mortelles, qui toutes, déesses ou mortelles, lui donnèrent beaucoup d'enfants mis au rang des dieux ou des demi-dieux.

130. On sait l'amour qu'eut pour le beau chasseur Endymion la déesse de la lune, qui, le voyant endormi sur le mont Latmus, en Carie, descendit près de lui et prolongea indéfiniment son sommeil pour pouvoir l'embrasser chaque nuit à son insu. Cf. Cicéron, *Tusc.*, I, 38; Properce, *Él.*, II, 15; Juvénal, *Sat.*, X.

131. Momus, fils de la Nuit (Hésiode, *Théogon.*, 214), dieu de la moquerie et de la critique, censeur des mœurs divines, et qui passait pour avoir censuré l'homme formé par Vulcain (qui n'avait point laissé à la poitrine de sa créature une petite ouverture pour qu'on pût y voir ses pensées secrètes), était toujours représenté levant son masque et tenant à la main une marotte, symbole de la folie. Cf. *Adages* d'Érasme, I, 5, 74.

132. Até, « la séduction », fille de Jupiter et de la Discorde, qui poussait à l'erreur et, par suite, à la perdition les dieux de l'Olympe, fut précipitée sur la terre par Jupiter, pour avoir poussé Junon à tromper Jupiter en faisant naître Eurysthée avant Hercule. Depuis ce temps, Até parcourt la terre avec une célérité incroyable, et se complaît dans les injustices et les calamités. Cf. Homère, *Il.*, XIX, 91 sq., IX, 502; Hésiode, *Théog.*, 230.

133. Cf. *Il.*, VI, 138.

134. Allusion au Priape dont parle Horace en sa huitième *Satire* (I, 8, 1) :

« J'étais jadis (c'est Priape qui parle) un tronc de figuier *(truncus... ficulnus)*.

135. Larcins et escamotages évoqués dans une ode d'Horace (*Od.*, I, 10) : c'est Mercure, rappelle Horace, qui déroba, étant encore enfant, ses bœufs et son carquois à Apollon, et qui « escamota » Priam, après le sac de Troie, aux yeux attentifs des Grecs.

136. Cf. Homère, *Il.*, I, 568; XVIII, 397.

137. On nommait *cordace* l'une des danses grotesques, souvent obscènes, qui précédèrent en Grèce l'ancienne Comédie; ceux qui se livraient à cette danse cherchaient surtout à produire l'imitation des corps les plus mal faits ou les plus déformés par les suites d'une passion (débauche, ivrognerie). Cf. Aristophane, *Nuées*, 540 et 555; Pétrone, *Satir.*, LII, 9. La cordace est représentée sur une tasse de marbre du musée du Vatican : elle y est exécutée par cinq faunes et dix bacchantes.

138. C.-à-d. le ballet des pieds nus. Cf. Lucien, *De saltatione*, XII.

139. Des farces osques assez licencieuses, qui tirent leur nom de la vieille ville d'Atella, en Campanie, entre Capoue et Naples. Cf. Tite Live, VII, 2; XXII, 61; XXVI, 16 sq.

140. Harpocrate, le dieu du silence, qui était représenté tenant le second doigt sur la bouche pour recommander le silence et la discrétion. Érasme l'avait déjà mentionné en ses *Adages*, IV, 1, 52.

141. Quelque dieu du Parnasse, où se trouvait la grotte célèbre de Corycus.

142. Cf. note 131.

143. Souvenir de Cicéron, *De Nat. Deor.*, I, 8.

144. C.-à.-d. une proportion de 24 à 51.

145. Même idée exprimée par Aulu-Gelle, XV, 25, 2.

146. Cf. *Tim.*, 90 E. — Ce passage d'Érasme, cité par Tiraqueau, *De lege conn.*, I, 14, a sans doute inspiré Rabelais, qui écrit au chap. XXXII du *Tiers Livre :* « Platon ne sçait en quel ranc il les (les femmes) doibve colloquer : ou des animaux raisonnables, ou des bestes brutes; car Nature leurs a dedans le corps posé en lieu secret et intestin un animal, un membre, lequel n'est es hommes..., de manière que si Nature ne leurs eust arrousé le front d'un peu de honte vous les voiriez comme forcenées courir l'aiguillette. »

147. Locution grecque proverbiale déjà recueillie par Érasme en ses *Adages*, I, 4, 62, et qui signifie : vouloir apprendre quelque chose à quelqu'un qui ne peut le comprendre.

148. Adage grec recueilli déjà par Érasme, *Adages*, I, 7, 10-11.

149. Idées platoniciennes, reprises ici par Érasme, et que Musset a exprimées dans des vers célèbres :

Les femmes, j'en conviens, sont assez ignorantes ;
On ne dit pas tout haut ce qui les rend contentes ;
Mais que voulez-vous faire ? Elles ont la beauté...
Or la beauté, c'est tout : Platon l'a dit lui-même...

150. L'expression d'Érasme *barbae sylva* rappelle celle de Juvénal (*Sat.*, IX, 13) : *silva comae.*

151. Cf. Villon, *Testament*, 325-326 :

Corps femenin qui tant es tendre,
Poly, souef, si precieux...

152. « Tirer le roi au sort » *regna vini sortiri talis* (cf. Horace, *Od.*, I, 18), c'était chez les Anciens désigner par les dés le roi du banquet, *rex convivii* (« symposiarque », disaient les Grecs), lequel dirigeait l'entretien, fixait le nombre de coupes que chacun devait boire, nommait ceux qui chanteraient.

153. *Se passer le myrte après la chanson...* La locution *ad myrtum canere* avait déjà été recueillie par Érasme en ses *Adages*, II, 6, 21.

154. Notamment les Stoïciens et le Cicéron du *De Finibus*, III, 51, et de *Laelius*, XIII, 47.

155. Adage gréco-latin recueilli déjà par Érasme, *Adages*, I, 1, 8.

156. Le type de ce syllogisme, mentionné par Quintilien (*Inst. or.*, I, 10, 5) est le suivant : un crocodile, ayant enlevé un enfant, dit à la mère qu'il le lui rendra si elle lui dit exactement son intention au sujet de l'enfant. « Tu ne me le rendras pas », dit la mère. Et, en effet, il ne le lui rend pas. Alors la mère : « Rends-le-moi, puisque j'ai deviné ton intention. — Non, réplique le crocodile, car si je te le rendais, tu n'aurais plus dit la vérité. » Cf. aussi Lucien, *Vit. auct.*, 22; Aulu-Gelle, *N. A.*, I, 2, 4.

157. Le type du sorite cornu, mentionné par Quintilien (*Inst. or.*, I, 10, 5) est le suivant : « Tu as ce que tu n'as pas perdu; or, tu n'as pas perdu de cornes; donc tu as des cornes. » Cf. aussi Lucien, *Banquet*, 23; Aulu-Gelle, *N. A.*, XVIII, 2, 9.

158. Tous ces traits sont empruntés à Horace, *Sat.*, I, 3 : « Celui qui ne veut pas offusquer son ami par sa bosse doit lui pardonner ses verrues (vers 73-74)..., les amants sont aveugles pour les défauts et les laideurs de leurs maîtresses, et même certains s'en délectent, comme Balbinus du polype d'Hagna (vers 38-40)..., un père dit de son fils qui louche qu'il a le regard en coulisse (vers 44-45). »

159. Érasme cite les deux vers de la *Satire* d'Horace (I, 3, 25-26) : « Puisque tu as les yeux malades, dit le poète, quand il s'agit de tes défauts, pourquoi discernes-tu ceux de tes amis d'un œil aussi perçant que celui de l'aigle ou du serpent d'Épidaure ? »

On sait combien l'aigle a le regard perçant, et quant au serpent d'Épidaure, c'est Esculape lui-même, honoré sous cette forme à Épidaure, le serpent étant le symbole de la vigilance et de la prudence nécessaires au médecin. Cf. *Adages* d'Érasme, I, 9, 96.

160. Souvenir probable de la fable de Phèdre, IV, 9. Cf. aussi Catulle, XXII, 18; Perse, *Sat.*, IV, 24.

161. Cupidon était souvent représenté avec un bandeau sur les yeux, parce que l'Amour n'aperçoit pas de défauts dans l'objet aimé.

162. Citation de Théocrite, VI, 19.

163. Locution proverbiale latine recueillie par Érasme en ses *Adages*, I, 2, 62. — Le mot *cascus* lui-même est archaïque (Varron, Ennius). Cf. Cicéron, *Tusc.*, I : *Prisci quos cascos Ennius appellat.*

164. Cf. note 28.

165. Cette comparaison entre Nirée, « le plus beau des Grecs devant Troie » (Homère, *Il.*, II, 671), et Thersite, « le plus laid d'entre eux » (Homère, *Il.*, II, 212), semble tirée d'Ovide, *Portiques*, IV, 13 :

Tam mala Thersiten prohibebat forma latere
Quam pulchra Nireus conspiciendus erat.

166. Sur Phaon, voir plus haut, note 117. Nestor, par son âge, fait contraste avec Phaon.

167. Cf. *Adages* d'Érasme, I, 1, 40.

168. Expression de Martial, *Épigr.*, X, 47, 12.

169. Cf. *Adages*, II, 1, 79.

170. Cf. Virgile, *Én.*, VIII, 2.

171. Selon certains, Démosthène aurait pris la fuite à Chéronée (238).

172. Cf. Platon, *Apologie de Socrate*, 20 D.

173. Cf. Platon, *Apologie*, 31 C; *Gorgias*, 521 D; Xénophon, *Mémor.*, I, 6, 15.

174. Souvenirs d'Aristophane, les *Nuées*, 146, 157.

175. Anecdote rapportée par Diogène Laerce, II, 41.

176. On ignore où Érasme a pu prendre cette anecdote sur le grand orateur et philosophe grec de Lesbos (370-285 av. J.-C.). Peut-être, comme le suppose Kan, a-t-il mal entendu un passage de Cicéron (*Tusc.*, V, 9, 24).

177. Locution proverbiale, recueillie par Érasme en ses *Adages*, III, 8, 56, et IV, 5, 50.

178. Du moins au témoignage de Cicéron, *De Oratore*, II, 3, 10.

179. Cicéron.

180. Cicéron lui-même parle du trac *(summus timor)* qu'il avait d'ordinaire en commençant à parler. Cf. *Pro Roscio*, IV, 9.

181. Cf. *Inst. orat.*, XI, 1, 43.

182. Cf. *République*, V, 473 D. — Le même passage de Platon est cité et traduit ainsi par Rabelais (*Gargantua*, XLV) : « C'est, dist Gargantua, ce que dict Platon : que lors les républiques seroient heureuses quand les roys philosopheroient ou les philosophes régneroient. »

183. Expression de saint Augustin, *Cité de Dieu*, D, 27, début *(philosophastium)*.

184. Caton le Censeur (234-149), qui s'acharna contre les Scipion. Cf. Plutarque, *Cat.*, VIII.

185. Caton d'Utique, arrière-petit-fils de Caton le Censeur (95-46), l'un des chefs du parti aristocratique, rallié à Pompée pendant la guerre civile. Cf. Plutarque, *Cat. Min.*

186. L'empereur Marc-Aurèle (*M. Aurelius Antoninus*).

187. L'empereur Commode (180-192).

188. C'était un ivrogne. Cf. Pline, *Hist. nat.*, XIV, 28; Sénèque, *Suas.*, VII, 13.

189. Locution grecque proverbiale. Cf. *Adages*, I, 1, 35.

190. Locution proverbiale. Cf. *Adages*, II, 7, 66.

191. « Que Caton, écrit Martial, dans la préface de son premier livre d'*Épigrammes*, n'entre point dans notre théâtre, ou, s'il y entre, qu'il soit spectateur. » Les allusions au front « sourcilleux » de Caton abondent dans la littérature latine.

192. Locution proverbiale. Cf. *Adages*, III, 8, 56.

193. Timon le Misanthrope, qui se séquestra entièrement du monde, n'admettant dans sa société que le seul Alcibiade. Cf. Aristote, *Lys.*, 808, 812; Plutarque, *Alex.*, 16; Lucien, *Timon* (ouvrage traduit par Érasme en 1506).

194. Cf. Stace, *Thébaïde*, IV, 340 :

O saxis nimirum et robore nati !

195. Amphion à Thèbes jouait avec tant d'art de la lyre que Mercure lui avait offerte que les pierres se mouvant d'elles-mêmes se rangèrent en cadence pour former les murs de la ville; et Orphée, avec la lyre d'Apollon, enchantait ou entraînait à sa suite les bêtes, les arbres et les pierres. Cf. Horace, *Art poét.*, 391-396.

196. Prononcé par Ménénius Agrippa lors de la sécession de la plèbe romaine sur le mont Sacré (403). Cf. Tite-Live, II, 32; Denys d'Halicarnasse, V, 44; VI, 96.

197. Cet apologue de Thémistocle est rapporté par Plutarque, *Si l'État doit être gouverné par un vieillard*, chap. XII.

198. Cf. Plutarque, *Sertorius*, chap. XI et XX; Aulu-Gelle, *N. A.*, XV, 22. Sertorius avait su persuader aux barbares de l'Espagne qu'il était en communication avec les dieux au moyen d'une biche blanche dont il était toujours accompagné.

199. Cf. Plutarque, *De l'éducation des enfants*, chap. IV : Lycurgue, conte-t-il, avait deux chiens de la même portée, l'un dressé pour la chasse, l'autre non dressé. Un jour, pour démontrer aux Spartiates l'importance de l'éducation et du dressage, il produisit ses deux chiens en public, en mettant entre eux une mangeoire et un lièvre. Le chien dressé s'élança sur le lièvre, l'autre se précipita sur la mangeoire.

200. Cf. Valère Maxime, VII, 3, 6 :

« Sertorius, dit Valère Maxime, ne pouvant convaincre les Lusitaniens de ne pas engager de bataille générale avec les Romains, sut, par un expédient ingénieux, les amener à son avis. Il fit venir devant eux deux chevaux, l'un plein de vigueur, l'autre exténué; il commanda ensuite à un faible vieillard de tirer un à un les crins de la queue du premier, et à un jeune homme des plus robustes d'arracher d'un seul coup celle du second. Ils obéirent à cet ordre; mais, tandis que le bras du jeune homme se fatiguait en efforts impuissants, la main débile du vieillard avait déjà rempli sa tâche. Comme les Barbares assemblés désiraient savoir où Sertorius voulait en venir : « L'armée romaine, leur dit-il, est comme la queue d'un cheval; on peut la détruire par des attaques partielles, mais vouloir l'anéantir en masse, c'est lui livrer la victoire au lieu de la lui ravir. » C'est ainsi qu'un peuple barbare, grossier, difficile à conduire et qui courait à sa perte, vit par les yeux l'utilité d'un avis qui n'avait pu passer par ses oreilles. »

201. La tradition rapporte que le roi de Crète Minos faisait croire à son peuple qu'il se rendait tous les neuf ans dans une grotte dite de Jupiter et qu'il en revenait inspiré par le roi des dieux. Cf. Homère, *Od.*, XIX, 178 :

...ἔνθα τε Μίνως
ἐνγέωρος βασίλεωε Διὸς μεγάλου ὀαριστής.

202. Numa Pompilius, second roi de Rome, faisait croire à ses sujets qu'il avait pour conseillère la nymphe Égérie, qui le visitait dans un bois près de Rome. Cf. Tite-Live, I, 19, 21; Plutarque, *Vie de Numa*.

203. Comparaison empruntée sans doute à Horace, *Ép.*, I, 5, 76, qui appelle le peuple « une bête à plusieurs têtes » *belua multorum capitum*.

204. Trois Décius se sont « dévoués » pour leur patrie : le père à Véséris (340), dans une bataille entre les Latins et Manlius Torquatus, cf. Tite-Live, VIII, 8; le fils à Sentinum (295), cf. Tite-Live, X, 27; le petit-fils à Æsculum (279), au cours de la guerre contre Pyrrhus, cf. Florus, I, 18, 21.

205. La tradition rapporte qu'en 363 av. J.-C. la terre s'entrouvrit subitement dans le Forum et que les augures déclarèrent que le gouffre béant ne pouvait être comblé qu'en y jetant le trésor le plus précieux de Rome; qu'alors M. Curtius, jeune patricien, monta sur son cheval et, disant que Rome ne possédait rien de plus précieux qu'un brave et généreux citoyen, se précipita dans l'abîme, qui se referma aussitôt sur lui. Cf. Tite-Live, VII, 6, 5; Valère Maxime, V, 67; Cicéron, *De finibus*, II, 19, 61.

206. Souvenir d'Horace, *Sat.*, II, 3, 183 : « Vas-tu gaspiller ton bien dans des distributions de pois chiches, de fèves, de lupins, pour promener ta majesté dans le cirque et te voir coulé en bronze *(aeneus ut stes)* après avoir perdu, insensé, les terres et les écus laissés par ton père ? » (trad. F. Richard).

207. Allusion aux apothéoses accordées par le Sénat.

208. Cf. *Adages* d'Érasme, IV, 4, 94.

209. Cf. Homère, *Il.*, XVII, 32; et *Adages* d'Érasme, I, 1, 30; IV, 8, 83.

210. Cf. Platon, *Banquet*, 215 A; Xénophon, *Banquet*, IV, 13; Érasme, *Adages*, III, 3, 1. La comparaison qu'Alcibiade établit entre Socrate et les Silènes était familière aux humanistes de la Renaissance, qui l'appliquaient à tout ce qui dissimulait, sous une apparence plaisante ou vile, un fond sérieux ou précieux : Pic de la Mirandole, dans une lettre à Hermolaus Barbarus (Florence, 1495), compare aux Silènes d'Alcibiade ses entretiens philosophiques *(Angeli Politiani operum*, t. I, Lyon, 1528, p. 253); Budé se sert aussi de cette comparaison *(De studio litterarum recte instituendo*, éd. 1536, p. XVIII). Et

l'on connaît le morceau célèbre du Prologue de *Gargantua*, où Rabelais à son tour rapporte la comparaison d'Alcibiade, soit qu'il l'ait empruntée directement à Platon, soit qu'il l'ait trouvée dans l'adage d'Érasme cité plus haut, soit, comme le conjecture avec vraisemblance M. Abel Lefranc *(R. E. R.*, VII, p. 134), qu'il l'ait prise dans une plaquette contenant l'adage *Sileni Alcibiadis*, qui, d'abord publiée chez Froben, avait eu dix éditions de 1512 à 1528. Cf. sur ce point *Rabelais*, éd. Lefranc, t. I, *Prologue*, note 32.

Notons enfin qu'outre cet endroit de l'*Éloge* et la référence aux *Adages* citée plus haut, Érasme se sert encore de la comparaison des Silènes en son *Manuel du soldat chrétien* (éd. 1518, p. 62).

211. Un esclave. — Dama est le nom donné par Horace à un vil esclave syrien, *Sat.*, II, 5, 18; 7, 54; et I, 6, 38.

212. Cf. *Adages* d'Érasme, I, 10, 47.

213. Souvenir de Virgile, *Én.*, VII, 641.

214. Cf. notamment Sénèque, *Ép.*, IV, 11; LXXXIX, 13; Perse, *Sat.*, V, 96-119.

215. Cf. Platon, *Timée*, 29 A, 31 A.

216. Où seul, disait-on, habitait Platon, Cf. Lucien, *Hist. vraie*, 115.

217. Qui n'existent nulle part. Cf. Érasme, *Adages*, II, 1, 46.

218. Citation de Virgile, *Én.*, I, 471. — Le rocher Marpésien désigne un rocher du mont Marpésos, dans l'île de Paros, d'où l'on tirait un marbre réputé.

219. Cf. *Adages* d'Érasme, II, 1, 54. — Il s'agit de Lyncée, fils d'Aphareus et d'Aréné, frère d'Idas et l'un des Argonautes, dont la vue perçante était devenue proverbiale, par confusion sans doute avec le lynx. Cf. Horace, *Ép.*, I, 1, 28.

220. Cf. Lucilius : « Le sage est le seul être au monde qui aura tout, seul il sera déclaré beau, riche, libre, roi », et Horace, *Ép.*, I, 1, 106-107 :

Ad summam, sapiens uno minor est Jove, dives,
Liber, honoratus, pulcher, rex denique regum

« Bref, le sage n'a qu'un maître, Jupiter; il est riche, libre, honoré, beau, c'est le roi des rois », et aussi *Sat.*, I, 3, 124-125.

221. Cf. Homère, *Il.*, VIII, 51.

222. Aulu-Gelle *(N. A.*, XV, 10) fait allusion, si l'on en croit Plutarque, à une épidémie de suicides qui sévissait parmi les filles de Milet.

223. Diogène le Cynique, qui, si l'on en croit certains, mit fin volontairement à ses jours en s'étouffant.

224. Xénocrate de Chalcédoine (396-314 av. J.-C.), qui présida vingt-cinq ans l'Académie et mourut par suicide ou par accident. Cf. Cicéron, *Tusc.*, V, 32; Diogène Laerce, II, 2, 11; IV, 2, 12.

225. Caton d'Utique, le philosophe stoïcien et homme politique, qui, après la défaite des Pompéiens et des Républicains à Thapsus, mit

fin à ses jours à Utique après avoir passé une grande partie de la nuit à lire le *Phédon* de Platon. Cf. Lucien, *Phars.*, etc.

226. C. Cassius Longinus, partisan de la doctrine d'Épicure, homme politique, meurtrier de César, qui, après la victoire d'Antoine sur ses troupes à Philippes, ordonna à son affranchi de mettre fin à ses jours (42 av. J.-C.).

227. M. Junius Brutus, grand amateur de philosophie, homme politique, meurtrier de César, qui mit fin à ses jours après la victoire d'Antoine à Philippes (42 av. J.-C.).

228. Chiron, fils de Saturne et de Philyre, « le plus savant et le plus juste de tous les Centaures », qui, blessé accidentellement par une flèche empoisonnée de son ami Hercule dans sa lutte contre les autres Centaures, préféra mourir, quoique étant immortel, plutôt que de vivre encore et donna son immortalité à Prométhée. Cf. Lucien, *Dial. Morts*, XXVI; Ovide, *Mét.*, II, 676; Horace, *Épod.*, XIII.

229. La vieillesse de Nestor, roi de Pylos, qui avait régné sur trois générations d'hommes, était chez les Anciens passée en proverbe. Cf. notamment Martial, *Épigr.*, IX, 29.

230. Les mots dont se sert Aristophane pour dépeindre Plutus, *Plutus*, 266-267.

231. Le mot νεανίζειν dont se sert ici Érasme se trouve dans Plutarque *(Flam.*, XX) et a le même sens que le vulgaire νεανιεύεσθαι. Cf. *Adages* d'Érasme, IV, 1, 83.

232. Aristophane, en son Plutus, vers 1024, parle d'une « vieille sentant le bouc » καπρῶσα γραῦς. Cf. *Adages* d'Érasme, I, 9, 9.

233. Cf. Martial, *Épigr.*, X, 90.

234. Souvenir d'Horace, *Épod.*, VIII, 7 : « Tu crois m'exciter peut-être, dit le poète à une vieille, par ta poitrine et tes mamelles flétries comme celles d'une jument ? »

235. Souvenir d'Horace, *Od.*, IV, 13, 5-6 : « Tu deviens vieille, et pourtant, tu veux paraître belle; tu joues et bois sans pudeur, et quand tu as bu, tu sollicites d'une plainte chevrotante un désir languissant. »

Et cantu tremulo pota cupidinem
Lentum sollicitas...

236. « Chercher la poutre (ou l'arbre) pour se pendre », locution proverbiale déjà recueillie par Érasme en ses *Adages*, I, 10, 21.

237. Souvenir d'Horace, *Sat.*, I, 1, 66 :

Sic solitus : « Populus me sibilat; at mihi plaudo.

238. Theuth ou Thoth, dieu des Égyptiens, que Platon célèbre en son *Phèdre* comme étant l'inventeur des nombres et de l'alphabet. *(Ph.*, 274 C et D.)

239. Le roi thébain Thamous. Cf. *Phèdre, l. c.*

240. Démons *(daêmones)*, de *daênai*, savoir... Étymologie contestée. Cf. Platon, *Cratyl.*, 396 B.

241. Mot de Macrobe, *Saturn.*, III, 17, 10 : *Leges bonae ex malis moribus procreantur.*

242. Citation d'Homère, *Il.*, XI, 514.

243. Parole de Socrate dans Platon, *Gorgias*, 463 A.

244. Cf. entre autres auteurs Virgile, *Géorg.*, IV, 153 sq.; Pline, *H. N.*, XI, 4.

245. Expression virgilienne, *En.*, XI, 418.

246. Le coq de Lucien dans Le *Songe ou le Coq*, qu'Érasme traduisit.

247. Cf. note 21.

248. Épithète homérique.

249. Infortunés (δειλούς), oui; calamiteux (μοχθηρούς), nulle part.

250. Cf. *Odyssée*, V, 436.

251. Le mot est de Cicéron, *De Senect.*, II, 5 : « Qu'est-ce que combattre contre les dieux à la façon des géants sinon déclarer la guerre à la nature ? »

252. L'enthymème, « ainsi nommé, dit Philopon, parce que l'intelligence à laquelle il s'adresse pense, de son chef, la proposition qu'il n'exprime pas », est un syllogisme imparfait à qui manque soit la majeure, soit la mineure. Cf. Cicéron, *Top.*, XIII-XIV; Quintilien, V, 10. 1, 2 et 5; XIV, 1.

253. « Par l'avis, conseil, prédiction de fous, vous savez quantes princes, rois et républiques ont été conservés, quantes batailles gagnées, quantes perplexités résolues », dit Pantagruel à Panurge dans le *Tiers Livre* de Rabelais.

La place de *fou du roi* était devenue en France une véritable charge, occupée par des titulaires se succédant après décès. Les plus fameux furent Thèvenin, fou de Charles V; Triboulet, fou de Louis XII et de François Ier, qu'on appelait le *morosophe* tant ses avis étaient sages.

254. Citation de Perse, *Sat.*, I, 107.

255. Cf. *Banquet*, 217 E.

256. Citation d'Euripide, *Bacch.*, 369.

257. Non pas Euripide, mais un pseudo-Euripide, *Rhés.*, 394 :

Φιλῶ λέγειν τἀληθὲς αἰεὶ κοὐ διπλοῦς πέφυκ' ἀνήρ.

258. Citation de Juvénal, *Sat.*, III, 30.

259. Comme le satyre de la fable. Cf. *Ésope*, LXIV; Érasme, *Adages*, I, 8, 30.

260. Cf. *Banquet*, 180 D.

261. Citation des *Odes*, III, 4, 5.

262. Cf. *Phèdre*, 244 A.

263. Cf. *Én.*, VI, 135 :

...... *et insano juvat indulgere labori.*

264. Cf. *Lettres*, III, 13, 2.

265. Cf. *Épîtres*, II, 2, 133-135.

266. Cf. Horace, *Ép.*, II, 2, 138-140.

267. Cf. Théognis, 336; et *Adages* d'Érasme, III, 1, 55.

268. « Riche comme Crésus » est un adage déjà recueilli par Érasme, *Ad.*, I, 6, 74 C.

269. Le mot est de Pline, *H. N.*, VII, 41 : *Nemo mortalium omnibus horis sapit.*

270. Souvenir d'Horace, *Ép.*, I, 1, 100 :

Diruit, aedificat, mutat quadrata rotundis.

271. Citation de Properce, *Él.*, II, 10, 6.

272. Le cap Malée, promontoire de la Laconie, qui séparait les golfes Argolique et Laconique, était célèbre par ses écueils.

Il y a dans le texte latin un jeu de mots qu'on ne peut rendre sur *alea, Malea.*

273. C'est le passage d'Horace (*Sat.*, II, 7, 15-18), sur le bouffon Volanérius, « qui, lorsque la goutte justicière lui eut tordu les articulations, se paya un remplaçant pour ramasser à sa place les dés et les mettre dans le cornet ».

274. Adage qu'on trouve dans Perse, *Sat.*, V, 115, et qu'Érasme avait déjà recueilli dans son volume, III, 5, 44.

275. Peut-être Érasme songe-t-il au *Philopseude* de Lucien, l'un des quatre dialogues du maître de Samosate que son ami Thomas Morus avait traduits en latin.

276. Saint Christophe, « le Polyphème chrétien », « l'Hercule chrétien », qui naquit en Syrie ou en Palestine, fut baptisé par saint Babylas, évêque d'Antioche, et subit le martyre sous l'empereur Dèce, fut particulièrement vénéré au moyen âge, où ses effigies se multiplièrent. On croyait qu'il suffisait de regarder une de ces images pour être préservé tout le jour contre l'eau, le feu et les tremblements de terre. On prit l'habitude de le représenter en des proportions colossales (suivant la tradition il avait 4 m. de haut) et on lui érigea surtout des statues que l'on adossait d'ordinaire au premier pilier des églises. Celle de Notre-Dame de Paris, qui était de 1413, fut détruite en 1784 par ordre du chapitre. On cite parmi les gravures sur bois les plus célèbres qu'on en fit celles de Martin Zagel, d'Israël von Mecken, d'Albert Dürer (deux pièces, l'une de 1511, l'autre de 1525), de Beham (1520), d'Aldegrever (1527), qui l'a représenté assis, tous les autres l'ayant fait debout. La plaque de ces effigies était ordinairement accompagnée d'inscriptions du genre de celle-ci :

Christophori sancti speciem quicumque tuetur
Illo namque die nullo langore tenetur.

« Quiconque regarde l'image de saint Christophe n'éprouve dans la journée aucun affaiblissement. »

— Ou encore de celle-ci :

Christophori faciem die quacumque tueris
Illa nempe die morte mala non morieris.

« Chaque jour où tu regardes la face de Christophe, tu es sûr ce jour-là de ne pas mourir de male mort... »

Érasme parle encore de saint Christophe en son *Manuel du soldat chrétien*, t. V, p. 26 E.

277. Sainte Barbe, vierge et martyre, décapitée pour la foi à Nicomédie vers 235, eut pour bourreau son propre père, qui était païen, et qui mourut, dit-on, foudroyé lorsqu'il eut porté à sa fille le dernier coup. Aussi sainte Barbe devint-elle la patronne des canonniers, parce que le canon est la foudre de la guerre. On connaît le tableau célèbre de Jean van Eyck (1437), qui est au musée d'Anvers.

Érasme mentionne encore la sainte en son *Manuel*, t. I, chap. 1.

278. Saint Érasme, vulgairement appelé saint Elme ou saint Erme, prélat et martyr, mort vers 305, qui fut évêque de Formies, en Italie, sous les empereurs Domitien et Maximin. D'après les hagiographes, il subit un horrible martyre qui a été plus d'une fois reproduit par la peinture. « C'est saint Érasme, dit A. de Lacaze, qui est invoqué par les matelots de la Méditerranée contre les tempêtes. C'est pour cela qu'ils ont donné le nom de ce saint à un phénomène électrique qui se produit souvent en mer au sommet de la mâture des vaisseaux pendant les jours d'orage. Il se manifeste sous la forme d'une aigrette brillante ou de petites gerbes de feu qui scintillent au haut des mâts et se promènent sur les cordages placés à la même élévation. »

Le saint est aussi invoqué par ceux qui veulent faire fortune, comme le rappelle Érasme, et son aide est requise encore dans certaines maladies.

279. Saint Hippolyte, évêque et martyr, qui, suivant Eusèbe, vivait dans la première moitié du IIIe siècle, et auquel on attribue un certain nombre d'ouvrages recueillis par Fabricius (Hambourg, 1716-1718, 2 vol. in-folio).

On lit dans les *Actes des martyrs* que saint Hippolyte, dénoncé par la foule comme étant le chef des chrétiens, fut amené devant le préfet de Rome, qui, en apprenant son nom, s'écria : « Eh bien! qu'il soit traité comme le fils de Thésée et traîné par des chevaux! » On lia le saint par les pieds à une corde passée entre deux chevaux, qu'on excita à coups de fouet et qui emportèrent le confesseur au milieu des ronces et des épines.

280. Car saint Georges, mort confesseur et martyr en 303 sous Dioclétien, est célèbre pour avoir vaincu sur son cheval le dragon, comme Hercule avait vaincu l'hydre de Lerne.

281. Les indulgences. Cf. *Manuel* d'Érasme, t. V, p. 167 E.

282. La fange criminelle. Allusion au marais légendaire où Hercule tua l'hydre monstrueuse.

283. N'ayant pas voulu indiquer à saint Bernard les sept vents en question : « N'importe, lui dit le saint; je lirai chaque jour le Psautier tout entier, et donc nécessairement les sept secrets magiques. »

284. L'anecdote semble puisée dans Ausone, *Épigr.*, X : « Une femme adultère, dit le poète, donna du poison à son mari jaloux et crut n'en avoir pas assez donné pour le tuer. Elle y ajouta une quantité mortelle de vif-argent, pour que la force redoublée du toxique hâtât la fin. Si ces deux corps sont isolés, chacun à part est un poison, mais

c'est prendre un antidote que de les boire ensemble. Donc, pendant que ces liquides meurtriers se combattaient l'un l'autre, le salutaire l'emporta sur le malfaisant. Tout de suite ils s'écoulèrent dans les profondeurs creuses du ventre, chemin habituel où glissent les résidus des aliments. Quelle sainte providence que celle des dieux! Un bien résulte de l'excessive cruauté d'une épouse, et quand le destin le veut, le mélange de deux poisons est utile. » Trad. M. Jasinski.

285. Érasme cite, en y apportant quelques changements, trois vers célèbres de Virgile, *Én.*, VI, 625-627.

286. Cf. Sénèque, *De brev. vit.*, XX, *passim.*

287. Les pleureurs et les pleureuses à gages. Cf. Horace, *A. P.*, 431 : *qui conducti plorant in funere.*

288. Souvenir de Juvénal, *Sat.*, VIII, 181-182 : « Mais vous, descendants des Troyens, vous vous pardonnez tout, et ce qui ferait honte à un manœuvre sera pour les Volésus et Brutus un honneur. »

289. Souvenir de Juvénal (cf. note précédente), qui parle des descendants des Troyens, donc d'Énée (*Sat.*, VIII, 181) et qui nomme Brutus (*id.*, 182).

290. Arcture ou Icarius, ami athénien de Bacchus, tué par des bergers ivres et dont la fille, Érigone, se pendit de désespoir en apprenant sa mort, fut placé au ciel par Jupiter, qui en fit la constellation du Bouvier, tandis qu'Érigone devenait celle de la Vierge. Cf. Cicéron, *De N. D.*, II, 42, 110 :

Stella micans radiis, Arcturus nomine claro.

291. Cf. note 28.

292. Cf. note 165.

293. Euclide d'Alexandrie (323-283 av. J.-C.), fondateur de l'école mathématique d'Alexandrie.

294. M. Tigellius Hermogenes, chanteur célèbre, né à Sardes, protégé par Auguste, et qu'Horace (*Sat.*, I, 3, 129) appelle *optimus cantator et modulator.*

295. Citation de Juvénal, *Sat.*, III, 90-91.

296. Cf. *Lettres*, XXVII, 5.

297. Cf. Érasme, *Adages*, I, 10, 71.

298. Érasme fait souvent allusion dans ses *Lettres* au goût des Anglais pour la bonne chère.

299. La Sorbonne de l'époque... Cf. Érasme, *Lettres*, 610, recueil d'Allen, t. III.

300. Cf. Érasme, *Lettres*, 466, recueil d'Allen, t. II.

301. « Érasme, note M. Renaudet, pense peut-être au moine bénédictin Jean Trithème (1462-1516), abbé de Spanheim, puis de Saint-Jacques de Wurtzbourg, humaniste et historien, qui eût une grande réputation de magie. »

302. Cf. Horace, *Ép.*, I, 18, 6.

303. Proverbe appliqué aux imbéciles qui s'admirent et se louent mutuellement. Cf. *Adages*, I, 7, 76.

304. Cf. Platon, *Gorgias*, 463 A.

305. Érasme songe surtout à Cicéron. Cf. *De Orat.*, II, 10, 42.

306. Cf. note 280.

307. Cf. note 276.

308. Cf. note 277.

309. Réminiscence probable du passage célèbre de Lucrèce sur les illusions de l'amour.

310. Le peintre le plus célèbre de la Grèce, contemporain d'Alexandre. Cf. Pline, XXXV, 10.

311. Célèbre peintre grec de la fin du ve siècle av. J.-C. Cf. Pline, XXXV, 9; Lucien, *Zeuxis*.

312. Il faut sans doute entendre un individu du nom de Morus.

313. Platon, *Républ.*, VII, début.

314. Le personnage du *Songe ou le Coq*, réveillé par le chant du coq. Cf. début du dialogue.

315. Les sept Sages, nom donné à sept Grecs du VIe siècle av. J.-C. : Thalès de Milet, Pittacus de Mytilène, Bias de Priène, Cléobule, Myson, Chilon et Solon. D'autres mettent au nombre des sept sages Périandre et Anacharsis.

316. Citation d'Horace, *Ép.*, I, 15, 19.

317. Hercule présidait aux enrichissements. Cf. Perse, *Sat.*, II, 10-12 : « O vase rempli d'argent! s'il allait en tinter un sous ma pioche, par la grâce d'Hercule! »; Pétrone, *Satir.*, LXXXVIII : « Alors, nouvel Hercule, Démocrite réussit à extraire le suc de toutes les herbes et, pour découvrir la vertu des pierres et des plantes, consuma sa vie à faire des expériences. »

318. Mavors ou Mars, ancienne divinité italique identifiée plus tard avec le dieu grec Arès, est le même dieu que le Mamers des Osques.

Comme Lucrèce (I, 32), comme Virgile qui sept fois appelle Mars Mavors, comme beaucoup de poètes latins, Érasme se plaît ici à donner au dieu de la guerre son nom primitif.

319. Comme dans Homère, *Il.*, I, 10 et 51.

320. Mauvais génies, dont le nom, *Vejovis*, désignait primitivement une divinité étrusque maléficieuse, qui produisait la surdité avec ses foudres avant même de les avoir lancées et qu'on a assimilé à Jupiter enfant. Cf. Ovide, *Fast.*, III, 429 sq. : « Mais peut-être la nouveauté de ce nom vous arrête-t-elle ? Apprenez donc quel est ce dieu et pourquoi on l'appelle ainsi. C'est Jupiter dans sa jeunesse. Regardez en effet ce jeune visage et regardez ensuite sa main, elle ne tient pas de foudre. Car Jupiter ne s'arma de la foudre que lorsque les Géants osèrent tenter la conquête des cieux : il était tout d'abord sans armes; et c'est avec son feu nouvellement créé qu'il embrasa l'Ossa avec le Pélion qui le surmontait et l'Olympe solidement enraciné en terre. On y voit aussi la chèvre que les Nymphes de Crète faisaient paître, dit-on, et qui donnait son lait à Jupiter enfant. Mais j'en reviens au

nom. Les paysans appellent *vegrand* le grain qui a insuffisamment grandi et donnent le nom de *vesce* à celui qui est tout petit. Si telle est la signification de cette particule, n'ai-je pas tout lieu de supposer que le temple de Véjovis n'est autre que celui de Jupiter non encore adulte ? » Comme Érasme, Rabelais, *Garg.*, XLV, se souvient sans doute de ce passage d'Ovide lorsqu'il écrit : « Les poètes faignent un grand tas de Vejoves et dieux malfaisans. »

321. Cf. note 132, et *Iliade*, IX, 504.

322. Cf. *Adages* d'Érasme, I, 3, 81.

323. Comme il était advenu à la Discorde lors des noces de Pélée et de Thétis.

324. Comme il était advenu à Diane elle-même. Cf. Ovide, *Mét.*, VIII, 276.

325. On sacrifiait à une déesse de Tauride, que les Grecs ont identifiée avec leur Artémis et les Romains avec Diane, tous les étrangers qu'un naufrage jetait sur les côtes de ce pays. Cf. Hérodote, IV, 103; Ovide, *Pont.*, III, 2, 53; *Trist.*, IV, 4, 63.

326. Sur le culte « grossier » des images, cf. Érasme, *Manuel*, V, 32 F.

327. Phébus Apollon, dieu du soleil, était particulièrement honoré dans la « claire Rhodes » où s'élevait en son honneur la fameuse statue d'airain de 70 coudes de haut connue sous le nom de *colosse de Rhodes*. Cf. Pline, *H. N.*, II, 163.

328. L'île de Chypre était l'un des principaux sièges du culte de Vénus; il y avait été introduit par les Phéniciens. La déesse était particulièrement honorée à Paphos et à Amathonte. Cf. Horace, *Od.*, I, 3, 1 : *diva potens Cypri*.

329. C'est à Argos que se trouvait le temple le plus célèbre de Junon, avec sa statue gigantesque d'or et d'ivoire, œuvre de Polyclète. Cf. Horace, *Od.*, I, 7, 8-9 :

Plurimus in Junonis honorem
Aptum dicet equis Argos ditesque Mycenas.

330. Minerve ou Pallas était la déesse éponyme d'Athènes, où s'élevait son temple, le Parthénon, et où se dressait sa colossale statue de 33 pieds de haut, toute d'or et d'ivoire, œuvre illustre de Phidias. Cf. Horace, *Od.*, I, 7, 5, qui nomme Athènes « la ville de la vierge Pallas » *intactae Palladis urbem*.

331. Le mont Olympe étant le plus élevé de la Grèce, c'est sur son sommet, parfois perdu dans les nuages, que les poètes placèrent le séjour du roi des dieux et des autres grands dieux.

332. Neptune était l'objet d'un culte particulier à Tarente, ville fondée par son fils Taras. Cf. Horace, *Od.*, I, 28, 29 : *Neptuno... sacri custode Tarenti*.

333. On sait que Priape, à qui les poètes donnent souvent le nom de Lampsacène ou Hellespontiaque, avait été élevé à Lampsaque, sur les bords de l'Hellespont, et qu'il y devint l'objet de la vénération publique. Cf. Virgile, *Géorg.*, IV, 111.

334. Mille philosophes dans le genre de Démocrite d'Abdère (ve s. av. J.-C.), qui prenait toujours le côté plaisant des choses et qui riait des folies des hommes.

335. Le développement qui suit contient de nombreux emprunts à l'*Icaroménippe* de Lucien.

336. Réminiscence d'Horace, *Ép.*, I, 15, 32 :

Quicquid quaesierat ventri donabat avaro.

337. Allusion aux captateurs de testaments. Cf. Horace, *Sat.*, II, 5, 23-24, et Pétrone, *Satir.*, CXVII et CXXV.

338. Cf. Juvénal, *Sat.*, I, 37-39 : « Le haut du pavé appartient à ceux qui gagnent des héritages avec leurs nuits, qui savent la meilleure route pour faire leur fortune, c.-à-d. qui passent par la vessie d'une vieille femme fortunée. »

339. Le commerce, sous la République romaine, était considéré comme indigne des patriciens et même des chevaliers; il était abandonné aux affranchis. Cf. Cicéron, *De off.*, I, 42.

340. Sur le « communisme » des Pythagoriciens, cf. *Adages*, I, 1, 1.

341. A Compostelle.

342. Cf. note 335.

343. Cf. note 334.

344. Sur la réputation peu flatteuse des grammairiens, cf. Mélanchthon, *Declam. de Nis. paedag.*

345. Une épigramme de Palladas, *Anthol. Pal.*, I, IX, 175 : « Le début de la grammaire (appris dans l'*Iliade*) est une malédiction en cinq vers. Je trouve dans le premier, *la colère*. Dans le second, *funeste*; après *funeste* viennent encore les nombreuses *souffrances* des Grecs. Le troisième conduit les *âmes en enfer*; le quatrième parle de *proie* et de *chiens dévorants*; le cinquième, d'*oiseaux voraces* et du *courroux de Jupiter*. Comment donc le grammairien avec des mots d'aussi *mauvais* augure ne serait-il pas accablé de *maux ?* »

346. Juvénal, *Sat.*, VII, 225-227, parle des grammairiens « qui respirent la puanteur d'autant de lampes qu'il y a d'enfants dans leur classe avec leur Horace défraîchi et leur Virgile noir de crasse ».

347. Cf. *Adages* d'Érasme, I, 3, 66 et I, 7, 12.

348. Le célèbre tyran d'Agrigente (670-594 av. J.-C.). Cf. note 40.

349. Denys l'Ancien ou Denys le Jeune, tyrans de Syracuse, au IVe siècle av. J.-C.

350. « On veut, dit Juvénal (*Sat.*, VII, 234 sq.), que le grammairien puisse nommer la nourrice d'Anchise ou la belle-mère d'Anchémolus avec son lieu de naissance, dire combien d'années vécut Alceste et combien il donna d'outres de vin de Sicile en cadeau aux Phrygiens. »

351. Palémon, grammairien célèbre du temps de Tibère et de Claude. Cf. Suétone, *Vita grammat.*, XXIII; Juvénal, *Sat.*, VII, 215-216 : « Qui donc verse à Céladus et au docte Palémon la valeur de leurs travaux de grammaire ? »

352. Donat, grammairien célèbre du IVe siècle ap. J.-C., qui eut pour élève saint Jérôme, et dont la *Grammaire latine* a servi de base à la plupart des traités semblables, depuis cette époque jusqu'à nos jours. Il a laissé des commentaires sur Virgile et sur Térence.

353. Cf. Juvénal, *Sat.*, VII, 234, et la note 350.

354. *Busequa* (bos, sequor), équivalent de *bubulcus* « bouvier », qu'on trouve dans Apulée, *Mét.*, VIII, 1 ; *Apol.*, 10.

355. Mot signifiant « chicanier, disputeur » qu'on trouve dans Nonius Marcellus, *De compendiosa doctrina* (éd. Lindsay, 1903), 79 ; et dans un fragment de Lucilius, cité par Aulu-Gelle, 11, 7, 9.

356. Mot signifiant « coupeur de bourses », dérivé de *mantica*, besace, bourse, qu'on trouve dans Pacuvius, *Trag.*, fr. 376 (éd. Ribbeck).

357. Proverbe grec pour dire : « accomplir un exploit quasi impossible ».

358. Alde Manuce l'Ancien, chef de l'illustre famille d'imprimeurs italiens qu'on désigne sous le nom des Aldes (1450-1515), composa et imprima, outre de savantes éditions d'Aristote, de Platon, d'Eschyle, d'Aristophane, de Sophocle, de Pindare, de Théocrite, etc., une *Grammaire latine* (Venise, 1501), plusieurs fois rééditée, et une *Grammaire grecque* (Venise, 1515). Ami d'Ange Politien, de Pic de la Mirandole et d'Érasme, il avait, en septembre 1508, publié les *Adages* de ce dernier, qui avait été pendant huit mois son hôte ou plus exactement celui de son beau-père F. d'Asola. Cf. *Colloques* d'Érasme, *Opulentia sordida*, et Pierre de Nolhac, *Érasme et l'Italie*, pp. 29-36; *Érasme en Italie*, nouvelle éd., pp. 31-52, et appendices, pp. 133-134.

359. Un proverbe cité par Lucien, *Sur les Images*, ch. XVIII. Cf. *Adages* d'Érasme, III, 1, 48.

360. Lieu commun poétique, qu'on trouve notamment dans Horace, poète cher à Érasme, *Od.*, IV, 8, 28-29 :

« La Muse empêche de mourir le héros digne de la gloire; la Muse lui donne le bonheur dans le ciel. »,

et IV, 9, 25-29 :

« Il y a eu des braves avant Agamemnon. Mais ils n'ont pas été pleurés, ils demeurent inconnus, plongés dans une nuit profonde, parce qu'ils n'ont pas été chantés par un poète sacré. »,

et enfin la célèbre *Ode* (III, 30) :

Exegi monumentum aere perennius...

361. Cf. *Rhétorique à Hérennius*, I, 6, 10 : « Si l'attention de l'auditoire est fatiguée, nous commencerons par quelque chose qui puisse le faire rire : apologue, histoire vraisemblable, charge, contre-vérité, parole à double entente, sous-entendu, raillerie, *folie*, exagération, rapprochement, jeu de mots, trait inattendu, parallèle, anecdote imaginée ou historique, citation d'un vers, interpellation ou approbation ironique adressée à quelqu'un. »

362. Le chapitre 3 du livre VII de l'*Institution Oratoire*.

363. Allusion à un passage du *De Oratore* de Cicéron (II, 6, 25).

364. « Tu vas croire, dit Horace à Mécène (*Sat.*, I, 1, 120), que j'ai pillé les coffrets de Crispinus le *chassieux :* je n'ajouterai pas un mot. »

365. Cf. Horace, *Od.*, IV, 3, 21-23 : « C'est uniquement à toi que je dois d'être montré du doigt par les passants comme le poète qui fait résonner la lyre latine. »

366. Les trois noms des Romains : le prénom, le gentilice et le surnom. Cf. Juvénal, *Sat.*, V, 125-127 :

Duceris planta. . . . .
Et ponere foris, si quid temptaveris unquam
Hiscere, tanquam habeas tria nomina,

« Tu seras traîné par la plante des pieds et mis dehors, si tu as le malheur de risquer un mot, sous prétexte que tu as trois noms. »,
et Ausone, *Griphe sur le nombre trois*, 80 :

Tres equitum turmae, tria nomina nobiliorum.

« Il y a trois escadrons de cavalerie, trois noms pour les nobles. »

367. Probablement *lapsus* d'Érasme pour Sthenelus, fils de Capanée et d'Evadné, qui commandait les Argiens sous Diomède dans la guerre de Troie. Cf. *Iliade*, II, 564; XXIII, 511.

368. Le père d'Ulysse. Cf. Ovide, *Hér.*, I, 113.

369. Érasme ne nomme sans doute pas ici le fameux tyran de Samos, mais le sophiste athénien, puisqu'il unit son nom à celui du sophiste Thrasymaque de Chalcédoine, contemporain de Gorgias (Cicéron, *De Orat.*, XII, 39; XIII, 41).

370. Cf. note 369.

371. A la façon des Aristotéliciens qui usaient des lettres de l'alphabet en guise de nombres et de signes.

372. Souvenir d'Horace, *Ép.*, II, 2, 99-100 :
« Quand nous nous quittons, je suis un Alcée; et lui, que peut-il être, sinon un Callimaque ? »

373. Citation de Virgile, *Én.*, II, 39.

374. Locution proverbiale recueillie par Érasme en ses *Adages* (II, 3, 40) : « rouler le rocher de Sisyphe » signifie faire un travail épuisant, stérile et infini.

375. Érasme vise sans doute ici les glossateurs du *Corpus Justinianum* (Code Justinien, Digeste et Institutes), dont les gloses (XIIe-XIVe siècles) avaient fini par avoir force de loi.

376. L'airain des vases suspendus aux branches des chênes de Dodone en Épire, qui, quand le vent agitait les arbres, se heurtaient entre eux et dont les sons étaient interprétés par les prêtres, plus tard par les prêtresses de Jupiter. Cf. Homère, *Il.*, II, 750; *Od.*, XIV, 327; Hérodote, II, 57; VII, 185; Lucain, *Phars.*, VI, 427; Ovide, *Trist.*, IV, 8, 23.

Érasme en ses *Adages* (I, 1, 7) dit des bavards qu'ils sont « bruyants comme l'airain de Dodone ».

377. C.-à-d. pour un rien. Cf. *Adages* d'Érasme, I, 3, 53.

378. Le héraut des Grecs devant Troie, dont la voix, si l'on s'en rapporte à Homère (*Il.*, V, 585), avait autant d'éclat que celle de cinquante hommes criant à la fois. Cf. Juvénal, *Sat.*, XIII, 112 :

Tu miser exclamas, ut Stentora vincere possis.

379. La barbe longue et le manteau *(pallium, abolla)* étaient, avec le bâton, les insignes des philosophes de carrefour, chez les Anciens. Cf. Horace, *Sat.*, I, 3, 133; II, 3, 35, et le proverbe grec : ἐκ πώγωνος σοφός. En ses *Adages (Chil.* I, *cont.* 2), Érasme avait déjà commenté le proverbe *Barbae tenus sapientes* « sages jusqu'à la barbe seulement ». Qui ? Les philosophes, les sophistes... Plutarque l'emploie quelquefois dans ses *Propos de table.* Horace y fait allusion... Lucien plaisante également les philosophes sur l'ampleur de leur barbe. Bogoas, dans l'*Eunuque*, dit : « S'il faut mesurer un philosophe par la barbe, les premiers qu'on louera ce seront les boucs. » Et Érasme concluait : « On retourne à bon droit cet adage contre ceux qui font consister dans l'ajustement du corps toute la régularité de leur vie. »

380. Allusion au passage de l'*Odyssée* (X, 494) où Homère fait dire par Circé de Tirésias : « Il est le seul qu'après sa mort Perséphone ait doué de la clairvoyance; les autres sont des ombres flottantes. »

381. Allusion possible à la fable de Babrius et à celle d'Ésope : « L'astrologue tombé dans un puits », ou plus probablement souvenir d'Horace, *Sat.*, II, 3, 59, où l'on voit une mère, une sœur, un père, une épouse crier à l'insensé :

« Tu as devant toi un fossé profond, un énorme rocher : attention ! »

382. La scolastique du moyen âge nommait *universaux* les idées exprimées par un terme général, c.-à-d. tel qu'il puisse être prédicat de différents sujets, ou, pour les nominalistes, ces termes généraux eux-mêmes. Car, selon saint Thomas, l'universel n'a pas seulement une existence *post rem* dans notre intellect et une existence *in re* dans les choses particulières; il a aussi une cxistence *ante rem* dans l'esprit divin. Les cinq *universaux* d'après la liste de Porphyre étaient le *genre*, l'*espèce*, la *différence*, le *propre* et l'*accident*.

383. Par *formes séparées* la scolastique entendait les formes individuelles (εἴδη), opposées aux éléments de la matière (ὕλαι).

384. Les Scolastiques opposaient les éléments premiers *(materiae primae)* aux éléments seconds *(materiae secundae)*, et la matière en général *(materia*, ὕλη), à la forme *(forma* ou *formalitas*, εἶδος).

385. Les Scolastiques nomment *quiddité (quidditas)* ce qui répond à la question *quid sit*, c.-à-d. l'essence, par opposition à la question *an sit*, c.-à-d. l'existence. Ce terme, qui traduit le τὸ τί ἦν εἶναι, d'Aristote, avait été introduit par les traductions latines d'Avicenne.

386. Les Scolastiques, à la suite de Duns Scot, nomment *eccéité* ou *haeccéité* ce qui fait qu'un individu est lui-même et se distingue de tout autre. Ce terme, qui a pour synonyme *ipséité*, traduisait le τόδε τι d'Aristote.

387. Lyncée, fils d'Aphareus et d'Arété, frère d'Idas et l'un des Argonautes, était célèbre par sa vue perçante. Cf. note 219.

388. C.-à-d. ce marais empesté (*Adages*, I, 1, 64).

« Ne pas remuer Camarine » est un adage grec qui signifie « éviter un péril », par allusion au marais méphitique voisin de la ville de Camarine, à l'embouchure de l'Hipparis, sur la côte sud de la Sicile, que les habitants de cette ville desséchèrent malgré l'oracle, ce qui facilita l'approche de l'ennemi. Cf. Hérodote, VII, 154; Lucien, *Pseudol.*, 32; Servius, *Comm. Æn.*, III, 700.

389. C'est le mot qu'Horace applique, non aux théologiens, mais aux poètes. Cf. *Ép.*, II, 2, 102 :

...genus irritabile vatum.

390. Allusion au filet invisible dans lequel Vulcain enveloppa l'infidèle Vénus, sa femme, avec Mars, son amant, et les exposa aux rires des dieux assemblés. Cf. *Od.*, VIII, 270 sq.

391. Cf. *Adages* d'Érasme, I, 9, 29.

392. Cf. note 385.

393. Cf. note 386.

394. Cf. note 387.

395. On appelait au moyen âge *réalistes* les tenants de la doctrine d'après laquelle les *universaux* (cf. note 382) existent indépendamment des choses dans lesquelles ils se manifestent. Cette doctrine s'opposait au *nominalisme.*

396. On appelait au moyen âge *nominalistes* les tenants de la doctrine d'après laquelle il n'existe pas d'idées générales, mais seulement des signes généraux (Roscelin, Guillaume d'Occam, Hobbes). Cette doctrine s'opposait au *réalisme.*

397. Les tenants de la doctrine de saint Thomas d'Aquin (1227 ?-1274), généralement opposée au *Scotisme*, et qui formule que ce qui est *su* ne peut pas être *cru.*

398. Les tenants de la doctrine d'Albert le Grand (1193-1280), appelé par ses contemporains « le docteur universel » à cause de son érudition dans tous les domaines, et qui fut le maître de saint Thomas d'Aquin. Albert le Grand se préoccupa de donner, à côté de la religion et indépendamment d'elle, une explication des phénomènes. Saint Thomas formule en théorie précise le séparatisme admis et pratiqué par Albert.

399. Les tenants de la doctrine de Guillaume d'Occam (1290 ?-1349), auteur du célèbre *principe de parcimonie* ou *rasoir d'Occam (Occam's razor*, expression qui s'explique par son étymologie latine *radere*) : *Entia non sunt multiplicanda praeter necessitatem.*

400. Les tenants de la doctrine de Duns Scot (1265 ?-1308), généralement opposée au *thomisme*, qu'avaient condamné l'évêque de Paris et l'archevêque de Cantorbéry.

401. Cf. *Épître aux Hébreux*, XI, 1. — Rabelais, en un passage de *Gargantua* (chap. VI), retranché en 1542, prête plaisamment aux Sorbonistes cette même définition de la foi : « Les Sorbonistes, écrit-il, disent que foy est argument des choses de nulle apparence. »

402. La doctrine de l'Immaculée Conception, soutenue par les Scotistes contre les Thomistes, avait été admise par la Faculté de Théologie de Paris, le 3 mars 1497.

403. Cf. *Évangile selon saint Matthieu*, XVI, 19.

404. C'était la doctrine des Scotistes.

405. Cf. *Évangile selon saint Jean*, IV, 24.

406. Cf. *Épître à Timothée*, II, 2, 23.

407. Cf. *Épître à Timothée*, II, 2, 16, et I, 6, 20.

408. Cf. *Épître à Timothée*, I, 1, 4.

409. Cf. *Épître à Timothée*, I, 6, 4.

410. Chrysippe de Soles (Cilicie), le célèbre stoïcien (282-208 av. J.-C.)qui, après avoir étudié à Athènes sous Cléanthe, abandonna le scepticisme de l'Académie pour soutenir que la connaissance pouvait être assise sur des fondements certains. Il était d'une subtilité remarquable et aussi d'une fécondité étonnante, ayant produit plus de sept cents écrits. Cf. Diogène Laerce, VII, 7.

411. Saint Jean, Père de l'Église grecque (347-407), qui mérita par son éloquence le surnom de Chrysostome, c.-à-d. *Bouche d'or*. On compte parmi ses principaux écrits : son *Exhortation à Théodore*, adressée à un de ses amis qui, après avoir embrassé la vie solitaire, était rentré dans le siècle; ses traités sur les mœurs des femmes et sur la virginité, où il attaque les diaconesses et les sœurs adoptives détournant les jeunes filles du mariage et les veuves des secondes noces; ses homélies sur la Genèse et sur l'Ancien Testament; ses commentaires sur les Psaumes, sur les Prophètes et sur le Nouveau Testament.

412. Saint Basile le Grand, Père de l'Église (329-379), évêque de Césarée, qui a laissé un *Hexaméron*, explication de l'ouvrage des six jours de la création, des homélies, des lettres, et surtout les *Ascétiques*, traités pour la conduite des moines comprenant les *Morales*, les *Grandes Règles* et les *Petites Règles*.

413. Saint Jérôme, l'un des plus grands docteurs de l'Église latine (346 ?-420), qui rédigea une grande partie de la *Vulgate*, et écrivit aussi des *Commentaires* sur les Prophètes, une traduction de la *Chronique* d'Eusèbe avec des additions; des *Lettres* sur les passages difficiles de l'Ancien Testament, des livres de polémique et une *Correspondance* du plus haut intérêt.

414. Ainsi nomme-t-on dans les *Actes des Apôtres* (XIII, 46) ceux qui sont en dehors de l'Église.

415. Le Psalmiste appelle les Hébreux « une race rebelle, qui a la tête dure », *rebellem ac durae cervicis*.

416. Question à laquelle on peut répondre comme on veut : par l'affirmative, ou par la négative.

417. Cf. note 399.

418. Cf. note 398.

419. Un moine, nous dit Gérard Lister en son *Commentaire*, avait été condamné par les théologiens d'Oxford pour avoir osé soutenir que

ces deux phrases : « Socrate, tu cours » et « Socrate court » avaient le même sens.

420. Aux sept sphères des Anciens les théologiens en avaient ajouté trois autres, dont la troisième, l'Empyrée, était réservée « aux âmes bienheureuses ».

421. On sait qu'ayant dévoré la Prudence (Métis), Jupiter se sentant un grand mal de tête invoqua le secours de Vulcain, qui lui ouvrit la tête d'un coup de hache et en fit sortir Pallas tout armée.

422. Le bonnet des docteurs.

423. Érasme avait exprimé la même idée dans sa préface aux *Notes de Lorenzo Valla sur le Nouveau Testament* (avril 1505).

424. Aux quatre consonnes mystiques que les Juifs inscrivent dans un triangle pour figurer le nom secret et mystérieux de Dieu (Jéhovah) et qui correspondent à peu près aux lettres françaises *i*, *h*, *w*, *h*. Ces quatre lettres sont susceptibles de se prononcer avec différentes combinaisons de voyelles brèves. Le plus souvent, on emploie celles du mot équivalent *adonaï*, ce qui fait *iahowah*, ou celles du mot *elohim*, ce qui fait *eihowih*. La version des Septante rend ce mot par *Kurios* (seigneur) et la Vulgate par celui de *dominus*, qui veut dire la même chose. Diodore de Sicile le transcrit par *iaô* et Clément d'Alexandrie par *iaou*. En réalité la véritable prononciation avait fini par se perdre et on avait pris l'habitude de ne plus prononcer l'ineffable tétragramme.

425. Érasme avait exprimé la même idée dans son *Manuel du soldat chrétien*, V, 49 A.

426. On sait que moine signifie en grec solitaire.

427. La laine de Cilicie, faite de toisons de boucs ou de chèvres, était mince et médiocre.

428. La toile de Milet était célèbre par sa finesse et choisie, de préférence à toute autre, pour la teinture. Cf. Horace, *Ép.*, I, 17, 30; Virgile, *Géorg.*, III, 306.

429. Nom donné à l'ordre des frères mineurs fondé en 1223 par saint François d'Assise, parce qu'une corde ceignait leurs reins.

430. Nom donné aux frères mineurs de l'ordre de Sainte-Claire, réformé par Colette de Corbie (1380-1446), qui fut canonisée en 1807 par Pie VII.

431. Nom donné aux religieux de l'ordre de Saint-François d'Assise, qu'on appelle aussi cordeliers, par saint François lui-même, qui voulait les pénétrer d'humilité.

432. Nom donné par saint François de Paule à l'ordre monastique qu'il fonda en Calabre vers 1436 et qui fut approuvé en 1473 par le pape Sixte IV; saint François d'Assise ayant donné à ses franciscains pour les humilier le nom de *mineurs*, saint François de Paule, pour donner aux siens une humilité encore plus grande, trouva le nom de *minimes*.

433. Nom donné quelquefois aux membres d'une congrégation de saint François, plus communément appelés Observants, qui

s'appuyaient sur une *bulle* d'Eugène IV, datée de 1446, pour tenir à part leurs chapitres généraux.

434. Nom donné aux religieux de l'ordre monastique fondé vers 528 par saint Benoît sur le mont Cassin, en Italie, et qui avait pour règle l'hygiène, la sobriété et l'amour du travail.

435. Nom donné aux religieux cisterciens, dont l'ordre, fondé en 1098 par Robert, abbé de Cîteaux, avait été réformé en 1119 par son successeur saint Bernard, le « dernier Père de l'Église ».

436. Nom donné aux religieux de l'ordre de sainte Brigitte de Suède, fondé en 1346 à Waldstena, sur les bords du lac Vettern en Suède. On appelle encore cet ordre l'ordre du Saint-Sauveur.

437. Nom donné aux moines mendiants qui suivent la règle de saint Augustin et dont l'ordre fut en fait organisé en 1256 par le pape Alexandre IV.

438. Nom donné aux membres d'un ordre religieux fondé par un solitaire viennois du nom de Guillaume dans la première moitié du XIIe siècle. Ces religieux austères, qui habitèrent d'abord la vallée de Maleval, près de Sienne, se répandirent au XIIIe siècle dans les pays voisins et reçurent en 1297 du pape Boniface VIII le monastère des religieux *blancs-manteaux*, dont l'ordre venait d'être supprimé.

439. Nom que prirent les frères prêcheurs de l'ordre de saint Dominique, quand Jean Barastre, doyen de Saint-Quentin, leur eut donné en 1218 une chapelle du titre de saint Jacques.

440. Siméon le Stylite passa trente ans de sa vie juché au haut d'une colonne (422-452).

441. La secte gnostique des Abraxasiens, ainsi nommée du mot grec *abraxas*, réunion de lettres numériques donnant le nombre sacré 365, qui était, selon les gnostiques, l'ensemble des manifestations émanées du dieu suprême dans ses 365 sphères.

a = 1
b = 2
r = 100
a = 1
x = 60
a = 1
s = 200
Total = 365

L'abraxasianisme fut enseigné à Alexandrie, sous le règne d'Hadrien, par l'hérétique Basilide.

442. Comme à Cerbère. Cf. *Én.*, VI, 419.

La comparaison des moines mendiants à des bêtes diverses (ânes, chiens, guêpes, frelons) était traditionnelle. On peut rapprocher de ce passage d'Érasme un fragment du *Journal* de Louise de Savoie, mère de François Ier, année 1522 : « En décembre, mon fils et moy par la grâce du Saint-Esprit commençâmes à congnoistre les hypocrites blancs, noirs, gris, enfumés et de toutes couleurs, desquels Dieu nous veuille préserver. »

443. Cf. *Livre de Daniel*, chap. XIV.

444. Citation des *Satires*, II, 7, 21.

445. Locution recueillie par Érasme en ses *Adages*, I, 3, 35.

446. En anglais, *sin* veut dire *péché*.

447. Qui fut, comme on sait, pétrifiée à la vue de ses sept fils percés de flèches par Apollon et de ses sept filles tombées sous les traits invisibles de Diane. Cf. Homère, *Il.*, XXIV, 602 sq.; Ovide, *Mét.*, VI, 152 sq.

448. Allusion à la satire d'Horace (*Sat.*, I, 8) où l'on voit un Priape en bois de figuier assister aux rites nocturnes des sorcières Canidie et Sagana.

449. Cf. Cicéron, *De Invent.*, I, 15.

450. Citation de Virgile, *Buc.*, III, 19.

451. Citation à un mot près de Lucien, *Alex.*, 54.

452. Le *Speculum historiale* est la troisième partie du *Speculum quadruplex* du dominicain Vincent de Beauvais, où se trouve résumée l'histoire universelle jusqu'à l'année 1244. L'ouvrage avait paru pour la première fois à Strasbourg en 1473-1476.

453. Les *Gesta Romanorum* sont une compilation historique et morale de l'histoire romaine et universelle, datant de la fin du XIIIe siècle ou du début du XIVe. L'édition princeps en avait paru à Cologne, en 1472.

454. Pour faire comprendre les faits.

455. Pour en tirer un enseignements moral.

456. Pour aboutir à une conclusion mystique.

457. « Ajoutez à la tête humaine, écrit Horace au début de son *Art poétique*, un cou de cheval, et recouvrez de plumes multicolores le reste du corps, composé de membres hétérogènes, si bien qu'un beau buste de femme se termine par une vilaine queue de poisson. A ce spectacle, retiendriez-vous votre rire ? »

458. Cf. note 189.

459. Il s'agit évidemment de saint Paul, ermite de Thébaïde.

460. Il s'agit ici non de saint Antoine de Padoue, mais de saint Antoine d'Égypte, l'un des fondateurs du monachisme, qui, jeune encore, distribua ses biens aux pauvres et se retira dans les solitudes de la Thébaïde, où il mourut en 356, à l'âge de cent cinq ans, entre les bras de ses deux disciples bien-aimés, Macaire et Amathas. Pendant vingt années, il avait, dit-on, été poursuivi par des visions fantastiques et effrayantes et par des *tentations* demeurées célèbres dans les traditions ecclésiastiques, autant que le grossier compagnon qu'on lui donne, et qui ont souvent exercé l'imagination et le pinceau des artistes.

461. On trouve un développement analogue dans l'*Institution d'un prince chrétien*, qu'Érasme écrivit pour l'offrir en mai 1516 au jeune prince qui allait devenir l'empereur Charles Quint.

462. Érasme emploie ici une locution familière qu'il avait déjà recueillie en ses *Adages*, I, 5, 6.

463. Expression d'Horace, *Od.*, I, 9, 9 :

Permitte divis cetera...

464. Souvenir d'un passage d'Horace en ses *Satires* (I, 2, 27 sq.) : « Pour nous, nous ne sommes qu'une quantité négligeable, des gens uniquement faits pour manger; nous sommes les prétendants de Pénélope, ces vauriens, ou ces jeunes gens de la cour d'Alcinoüs, qui n'étaient occupés que du soin de leur personne, et qui trouvaient beau de dormir jusqu'à midi et de se laisser bercer dans un demi-sommeil par le chant de la cithare. »

On sait, en effet, que les Phéaciens passaient pour mener une vie de bombance et de plaisir. Cf. *Odyssée*, VIII, 248.

465. Jeu de mots sur le mot évêque, en grec *episcopos* « celui qui a l'œil sur... »

466. Le manteau et la robe de pourpre avaient été concédés aux cardinaux par le pape Boniface VIII au début du XIVe siècle.

467. Cf. *Évangile selon saint Luc*, IX, 3.

468. On trouve la même idée dans le *Manuel* d'Érasme, V, p. 49 B.

469. Cf. *Évangile selon saint Matthieu*, V. 13.

470. Cf. *Épître aux Romains*, XVI, 18.

471. On nomme ainsi les excommunications réitérées.

472. Allusion aux portraits des excommuniés entourés de flammes et harcelés de méchants démons qu'on exposait dans les églises de Rome.

473. Cf. *Évangile selon saint Matthieu*, XIX, 27.

474. Comme notamment Virgile dans l'*Énéide* (VII, 323), où l'on voit la Furie Allecto souffler la folie et provoquer la guerre *(tristia bella)*.

475. Allusion à Jules II qui, devenu pape à soixante ans, ne cessa pendant dix ans de faire la guerre et s'allia même aux Turcs pour la faire. Érasme appréciait d'autant moins les talents guerriers de ce pape belliqueux qu'il avait dû, en 1506, quitter momentanément pour Florence Bologne, où il comptait se fixer, parce que Jules II menaçait d'y assiéger les Bentivogli rebelles.

476. Nom donné à l'ordre de religieux fondé par saint Bruno en 1084 dans le désert de la *Chartreuse*, près de Grenoble.

477. Cette périphrase classique désigne la déesse Némésis, qui avait un temple célèbre en la ville de Rhamnunte en Attique, et qui, fille de l'Érèbe et de la Nuit, restait sur la terre et dans les enfers pour veiller à la punition des fautes et à l'exécution des règles de la Justice. C'est elle aussi qui assurait la stricte observation des traités de paix, maintenait la foi jurée, courbait les têtes orgueilleuses et rassurait les humbles.

478. Proverbe recueilli par Érasme en ses *Adages*, I, 5, 82. — Le Timothée en question, dont le nom signifie « honoré de Dieu », est le

célèbre général athénien, fils de Conon, mort en 354 av. J.-C. Cf. Cornelius Nepos, *Timothée*.

479. Ce proverbe, qui s'appliquait aux entreprises mal engagées par les Athéniens, mais qui finissaient pourtant par réussir, a été recueilli par Érasme en ses *Adages*, I, 1, 76.

480. Ce proverbe, qui s'applique aux personnes nées « sous un mauvais astre », a été recueilli par Érasme. Cf. *Adages*, I, 1, 77.

481. Proverbe signifiant qu'on monte un mauvais cheval. Cf. Aulu-Gelle, III, 9, 6, et *Adages* d'Érasme, I, 10, 97.

482. Proverbe signifiant qu'on a une monnaie qui n'a plus cours. Cf. Aulu-Gelle, III, 9, 7, et *Adages* d'Érasme, I, 10, 98.

483. Allusion à l'édition des *Adages* publiée à Venise par Alde Manuce en septembre 1508.

484. Cf. *Adages* d'Érasme, I, 4, 32.

485. *Principibus placuisse viris* est le début d'un vers d'Horace (*Ép.*, I, 17, 35) qui déclare que « plaire aux princes n'est pas un mince honneur, et qu'il n'est pas donné à tout le monde d'aborder à Corinthe ».

486. Second vers d'un *Distique* de Dionysius Caton, que les enfants apprenaient par cœur en leur rudiment latin, dans les écoles du moyen âge. Cf. *Distiques* de Caton, livre II :

Insipiens esto, cum tempus postulat aut res
Stultitiam simulare loco, prudentia summa.

487. Expression qu'Horace s'applique à lui-même, *Ép.*, I, 4, 16.

488. Cf. *Odes* d'Horace, IV, 12, 27 :
« Pense au bûcher funèbre et, quand tu le peux encore, mêle un peu de folie à tes desseins : il est doux de déraisonner à propos. »

489. Cf. *Odes* d'Horace, IV, 12, 28, et la note précédente.

490. Citation d'Horace, *Ép.*, II, 2, 126.

491. Homère (*Od.*, XI, 449) n'applique ce mot qu'à Télémaque enfant.

492. Cf. *Lettres familières*, IX, 22, 4. Avant Cicéron, Simonide avait déjà déclaré que « le nombre des fous est incommensurable ».

493. Cf. *supra*, et note 213.

494. Nom donné au collège fondé par Robert Sorbon, chapelain et confesseur de Louis XI, en 1253, et qui conférait le titre de docteur à ceux qui y avaient fait leurs études, après y avoir argumenté pendant dix ans et y avoir soutenu divers actes publics ou thèses, qu'on distinguait en mineure, majeure, sabbatine, tentative, petite sorbonique et grande sorbonique.

495. Cf. note 400.

496. Érasme songe sans doute ici au Priape de figuier de la *Satire* d'Horace (I, 1, 8), le figuier étant d'ailleurs l'un des arbres dans le tronc desquels on se plaisait surtout à façonner le dieu des jardins. Il y a en outre une allusion à une épigramme des *Priapées* (LXIX) où l'on voit Priape se vanter d'avoir souvent entendu son maître faire la lecture devant lui et retenu quelques bribes de ce qu'il disait.

497. Verset 15 b.

498. Jérémie dit : « par sa propre science ». Cf. *Jérémie*, X, 7.

499. Cf. *Jérémie*, X, 12.

500. Cf. *Jérémie*, IX, 23.

501. Cf. *Eccl.*, I, 2; XII, 8.

502. C'est-à-dire un témoignage de prix. Cf. *Adages* d'Érasme, I, 5, 53.

503. Cf. *supra*, chap. LXII et la note 492.

504. Cf. *Eccl.*, XXVII, 12.

505. Cf. *Évangile selon saint Matthieu*, XIX, 17.

506. Verset 21 *a*.

507. Cf. *Eccl.*, I, 18. Érasme cite de mémoire, selon son habitude, en changeant certains mots.

508. Verset 5.

509. Verset 17.

510. Cf. *Évangile selon saint Matthieu*, XIX, 30.

511. La référence semble fausse. Le chap. XLIV de l'*Ecclésiaste* ne dit rien de tel.

512. Cf. *Rhétorique*, I, 6, et *Adages* d'Érasme, II, I, 65.

513. La citation exacte est : « L'homme qui cache son manque de sagesse vaut mieux que celui qui cache sa sagesse » *Melior est qui celat insipientiam suam, quam homo qui abscondit sapientiam suam* (*Ecclés.*, XX, 33).

514. Dans le livre des *Proverbes*.

515. Cf. II, 11, 23.

516. Offusquer les anciens par quelque nouveauté. Cf. *Adages* d'Érasme, I, 3, 75.

517. Le chef « en premier » était sans doute à cette époque Lefèvre d'Étaples (vers 1455-1537), qui avait traduit et commenté les ouvrages principaux d'Aristote (1499, 1501, 1505) et publié, en 1509, le *Psautier Quintuple*. Lefèvre était devenu célèbre en laissant de côté, dans ses leçons de mathématiques et de philosophie du collège du Cardinal-Lemoine, les vaines discussions de la scolastique et les traditions d'un enseignement routinier.

518. L'hébreu, le grec et le latin.

519. Le brocard vise Nicolas de Lyra, qui enseignait à la faculté de théologie de Paris et qui mourut en 1340. On disait que « si Lyra n'avait pas joué de la lyre, Luther n'aurait pas dansé ».

520. L'hébreu, le grec, le latin, et en outre le chaldéen et le dalmate.

521. L'anecdote est rapportée par saint Jérôme en ses *Annotations aux Actes des Apôtres*, XVII, 23.

522. Cf. note 519.

523. Cf. *Évangile selon saint Luc*, XXII, 35-36.

524. Cf. *Évangile selon saint Luc*, XII, 4; et *selon saint Matthieu*, V, 3; X, 17, 22, 23, 29.

525. Cf. *Évangile selon saint Luc*, XII, 27; et *selon saint Matthieu*, VI, 28.

526. Cf. *Évangile selon saint Matthieu*, XXVI, 52; et *selon saint Jean*, XVIII, 11.

527. Il s'agit, si l'on en croit Gérard Lister, du général des dominicains Jordan de Saxe, mort en 1336, et qui avait succédé à saint Dominique à la tête de son ordre. On lui doit, entre autres ouvrages, un *De principio ordinis Praedicatorum* et une *Lettre sur la translation du corps de saint Dominique.*

528. Selon certaines traditions, saint Barthélemy, l'un des douze Apôtres, fut condamné à être fustigé et écorché vif par le roi indien Astiage, dont il avait converti au christianisme le frère, Polème; mais sur le genre exact du martyre de saint Barthélemy les avis diffèrent. Selon saint Dorothée, saint Barthélemy aurait été crucifié; selon d'autres historiens, il aurait eu la tête tranchée.

529. Le huitième des douze petits prophètes, dont le livre comprend trois chapitres. Le fragment cité par Érasme se trouve au chap. III, 7.

530. Cf. *Épître à Tite*, III, 10.

531. Un avocat d'aspect redoutable. Cf. *Adages* d'Érasme, IV, 1, 6.

532. Cf. *Deutéronome*, XIII, 5.

533. Cf. note 410.

534. Didyme, grammairien et critique alexandrin, contemporain d'Auguste, fut le maître d'Apion et d'Héraclide de Pont. Il avait composé un nombre considérable d'ouvrages, dont les plus intéressants avaient pour objet la critique et l'interprétation des poèmes homériques suivant la révision d'Aristarque. Tous ces livres ont péri; mais les petites scolies que nous possédons sur Homère, ainsi que celles de Pindare et d'autres poètes, sont en partie extraites des ouvrages de Didyme, bien que la rédaction en soit de beaucoup postérieure. Athénée porte le nombre de ses ouvrages à 3 500, et Sénèque (*Ép.* LXXXVIII, 37) à 4 000. Son ardeur au travail et sa critique impitoyable lui avaient valu le surnom de *chalkenteros* (l'homme aux entrailles d'airain); et Démétrius de Trézène lui avait donné le sobriquet de *bibliolathas* (l'oublieur de livres), parce qu'il lisait et écrivait tant qu'il lui arrivait d'oublier complètement ce qu'il avait lu ou écrit et de se contredire fréquemment.

535. Inutile et sotte. Cf. *Adages* d'Érasme, I, 7, 85.

536. Cf. *Épître aux Corinthiens*, II, 11, 19.

537. Cf. *Ép. aux Corinthiens*, II, 16, 17.

538. Cf. *Ép. aux Corinthiens*, I, 4, 10.

539. Cf. *Ép. aux Corinthiens*, III, 18.

540. Cf. *Évangile selon saint Luc*, XXXIV, 25.

541. Cf. *Épître aux Corinthiens*, I, 1, 25.

542. Érasme, durant son séjour à Saint-Omer (1501) chez

Antoine de Bergues, abbé de Saint-Bertin, avait pris auprès du moine franciscain Jean Vitrier le goût des livres d'Origène (185-254), illustre à la fois comme écrivain, comme Père de l'Église et comme philosophe, et dont saint Jérôme disait : « Après les apôtres, je regarde Origène comme le grand maître des Églises; l'ignorance seule pourrait nier cette vérité. Je me chargerais volontiers des calomnies qui ont été dirigées contre son nom, pourvu qu'à ce prix je puisse avoir sa science profonde des Écritures. »

On sait que certaines des doctrines d'Origène ont été condamnées par l'Église comme entachées de néoplatonisme.

543. Citation de saint Paul, *Épître aux Corinthiens*, I, 1, 18.

544. Cf. *Ps.*, LXVIII, 6.

545. « César, écrit Plutarque (*Vie de César*, LXII), qui avait des soupçons sur le compte de Cassius, dit un jour à ses amis : « Que croyez-vous que projette Cassius ? Pour moi, il ne me plaît guère : je le trouve trop pâle. » Une autre fois, on accusait auprès de lui Antoine et Dolabella de machiner des nouveautés : « Je ne crains pas beaucoup, dit-il, ces gens gras et bien peignés, mais plutôt ces hommes pâles et maigres. » Il désignait Brutus et Cassius. »

546. Cf. Tacite, *Annales*, XV, 62 et 65 : Sénèque était suspect à Néron, dit l'historien, parce qu'il faisait profession de vertu, et aussi parce que l'empereur, « sans avoir la preuve que Sénèque eût conspiré », sentait que son ancien maître avait derrière lui des partisans qui, « après s'être défaits de Néron par la main de Pison, se déferaient de Pison même, pour donner l'empire à Sénèque ».

547. Platon, au cours de son premier séjour en Sicile (390), s'était attiré par sa franchise courageuse la haine de Denys l'Ancien, qui le fit vendre comme esclave; racheté par des amis, il put revenir à Athènes. Au cours de son troisième séjour dans l'île (361), il tenta vainement d'obtenir de Denys le Jeune la grâce de Dion, qui avait été banni, et il n'échappa lui-même à la prison que par l'intervention d'Anchestas. Cf. Cicéron, *Pro Rabirio*, IX, 23.

548. Cf. *Épître aux Corinthiens*, I, 27 *a*.

549. Cf. *Épître aux Corinthiens*, I, 5, 21.

550. Érasme attribue ici une parole de saint Paul (*Ép. aux Corinthiens*, I, 1, 19) à Isaaïe, qui exprime (XXIX, 14) une pensée assez différente.

551. Cf. *Évangile selon saint Luc*, X, 21 ; et *selon saint Matthieu*, XI, 25.

552. Cf. *Évangile selon saint Luc*, XI, 42, 43; et *selon saint Matthieu*, XXIII, 13, 14, 15, 23, 25, 27.

553. Cf. *Évangile selon saint Matthieu*, XXI, 2.

554. Cf. *Évangile selon saint Matthieu*, III, 16.

555. Cf. *Évangile selon saint Jean*, X, 1-27.

556. Cf. *Hist. animal.*, IX, 4.

557. Cf. *Adages* d'Érasme, III, 1, 95.

558. Cf. *Évangile selon saint Jean*, I, 29 et 36.

559. Cf. *Apocalypse*, V-VII.

560. Cf. *Épître aux Corinthiens*, I, 1, 18 et 24.

561. Citation de l'*Épître aux Philippiens*, II, 7.

562. Cf. *Épître aux Corinthiens*, II, 5, 21.

563. Cf. *Épître aux Corinthiens*, I, 1, 21.

564. Cf. *Évangile selon saint Matthieu*, XVIII, 3; *selon saint Luc*, XVIII, 17; *selon saint Marc*, X, 15.

565. Cf. *Évangile selon saint Matthieu*, VI, 28; *selon saint Luc*, XII, 27.

566. Cf. *Évangile selon saint Matthieu*, XIII, 31; *selon saint Luc*, XIII, 19; *selon saint Marc*, IV, 31.

567. Cf. *Évangile selon saint Matthieu*, X, 29; *selon saint Luc*, XII, 6.

568. Cf. *Évangile selon saint Matthieu*, X, 18; *selon saint Luc*, XII, 11; XXI, 12; *selon saint Marc*, XIII, 11.

569. Cf. *Actes des apôtres*, I, 7.

570. Cf. *Genèse*, II, 17.

571. Cf. *Épître aux Corinthiens*, I, 8, 1.

572. Cf. *Comm. d'Isaïe*, XIV, 12.

573. Cf. XII, 11.

574. Cf. *Livre des Rois*, I, 29, 21.

575. Cf. *Livre des Rois*, II, 24, 10.

576. Cf. *Évangile selon saint Luc*, XXIII, 34.

577. Cf. *Épître à Timothée*, I, 1, 13.

578. Cf. *Psaumes*, XXIV, 7.

579. Cf. *Actes des Apôtres*, II, 13.

580. Cf. *Actes des Apôtres*, XXVI, 24.

581. Entrepris une vaste tâche. Cf. *Adages* d'Érasme, I, 3, 66.

582. Cf. Platon, *Gorgias*, 493 A; *Phèdre*, 80 E.

583. Cf. Platon, *Apologie de Socrate*, 39 C.

584. Cf. Platon, *Rép.*, VII, début, et plus haut, chap. XLV.

585. Cf. *Épître aux Corinthiens*, I, 7, 29-30.

586. Cf. Aristote, *De l'âme*, III, 4, 7.

587. Comme le fit par distraction saint Bernard. « Il était, dit le bienheureux Jacques de Voragine en la *Légende dorée*, si profondément occupé et absorbé par Dieu que la vie sensible cessa d'exister pour lui... Il ne trouvait aucun plaisir dans la nourriture, et ne mangeait que par force, ayant même perdu la faculté de discerner la saveur des mets. C'est ainsi qu'un jour il but de l'huile en guise d'eau et ne s'en aperçut que lorsque des frères lui firent observer que ses lèvres n'étaient pas mouillées. »

588. Cf. *Phèdre*, 245 B.

589. Cf. Isaïe, LXIV, 4; et aussi *Épître aux Corinthiens*, I, 2, 9.

590. Citation du *Coq* de Lucien.

591. Proverbe grec cité par Aulu-Gelle, II, 6, 9. Cf. *Adages* d'Érasme, I, 6, 1.

592. Ce vieux mot, cité en grec par Érasme, se trouve cité aussi à la fin d'une épigramme de Martial (I, 28, 7) :

« La nuit dernière, je t'avais dit, Procille, après avoir fait un sort (je crois bien) à dix quinconces, que tu dînerais aujourd'hui avec moi. Aussitôt tu as cru l'affaire faite, et tu as pris bonne note de ces paroles d'ivrogne. Exemple trop dangereux. Je hais, Procille, le convive qui se souvient. » Cf. *Adages*, I, 7. 1.

593. Cf. note 1.

594. Ami de Thomas Morus et d'Érasme, Martin Dorpius, né à Naëldwyck (Hollande) vers 1480, mort à Louvain le 31 mai 1525, professa plusieurs années l'éloquence et la philosophie à Lille, avant de devenir le recteur du collège du Saint-Esprit à Louvain. On a de lui un *Dialogue de Vénus et de Cupidon exhortant Hercule indécis à servir leur cause en dépit de la vertu ;* un *Complément à l'« Aululaire » de Plaute*, et un *Prologue au « Soldat fanfaron »* du même auteur; une *Lettre sur les mœurs des Hollandais ; un Éloge d'Aristote*, dirigé contre Laurent Valla, 1510 et 1514; un *Éloge de l'Académie de Louvain* (oct. 1513); et divers autres ouvrages sur l'éloquence sacrée.

Dans sa *Lettre sur l'Éloge de la Folie*, et dans sa *réponse à la lettre d'Érasme*, Martin Dorpius s'est fait le porte-parole des théologiens; mais c'était un homme de bonne foi, et son amitié avec Érasme ne fut pas entamée par leurs divergences. Quand Dorpius mourut, c'est Érasme qui composa l'épitaphe du tombeau érigé à son ami dans le couvent des Chartreux de Louvain :

Martinus ubi terras reliquit Dorpius,
Suum orba partum flet parens Hollandia,
Theologus ordo luget exstinctum decus :
Tristes Camœnae, candidis cum Gratiis
Tantum Patronum lacrimis desiderant !
Lovaniensis omnis opplorans schola
Sidus suum requirit : « O Mors, inquiens,
Crudelis, atrox, saeva, iniqua et invida,
Itan' ante tempus floridam arborem secans,
Tot dotibus, tot spebus orbas omnium
Suspensa vota ? Premite luctus impios ;
Non periit ille ; vivit ac dotes suas
Nunc tuto habet, subductus aevo pessimo.
Sors nostra flenda est, gratulandum est Dorpio.
Haec terra servat mentis hospitium piae
Corpusculum, quod ad canorae buccinae
Vocem, refundens optima reddet fide...

595. Martin Dorpius (cf. note précédente), porte-parole des théologiens, affirme encore à Érasme, dans la réponse qu'il fit à sa

lettre, que le jugement des théologiens doit être préféré à celui des évêques : « Je suis étonné, écrit-il à Érasme, que tu fasses en cette affaire plus de cas du jugement des évêques que de celui des théologiens... Si au moins tu avais modifié la vie, les mœurs et l'ignorance des évêques d'aujourd'hui! » Et plus loin il parle encore « de l'autorité incontestée des théologiens... qui seuls font paître le troupeau du Seigneur dans les pâturages de la loi divine ».

596. La lettre en question avait été écrite par Dorpius (à Louvain) en septembre 1514. La réponse d'Érasme fut écrite au cours du voyage que l'humaniste, alors fixé à Bâle, fit à Anvers et à Londres au printemps 1515 : elle est datée d'Anvers, au mois de mai 1515.

597. Le premier tome de la traduction de saint Jérôme restituée (?) par Érasme parut en avril 1516, chez Jean Froben, à Bâle. Huit autres tomes suivirent.

598. L'édition du *Nouveau Testament*, dédiée à Léon X, parut chez Jean Froben, à Bâle, au mois de février 1516, sous le titre de : *Novum Instrumentum omne, diligenter ab Erasmo Roterodamo recognitum et emendatum, non solum ad graecam veritatem, verum etiam ad multorum utriusque linguae codicum fidem*. Un second tirage en fut donné en 1519.

599. « Les vertus théologales sont, dit saint Paul, au nombre de trois : la foi, l'espérance et la charité. Mais la plus excellente des trois est la charité. »

600. La traversée de Londres à Anvers. Cf. note 596.

601. Thrason ou Thrasonide est le type même de ces soldats fanfarons et matamores transmis à Plaute par Ménandre. On n'a que quelques fragments de *Thrasonide* ou l'*Amant déteste* de Ménandre, mais suffisants pour donner l'idée du héros principal, qui, pour plaire à la belle esclave qu'il possède et dont il est lui-même l'esclave par amour, fait perpétuellement son propre éloge. Mais la belle n'aime pas les héros.

602. Pyrgopolinice est le héros au nom grec *(pyrgos, polis, nicé)* du *Soldat fanfaron* de Plaute.

603. Cette hypotypose se trouve au chant II de l'*Iliade* (v. 215 sq.) « Thersite était, dit Homère, le plus laid des hommes venus devant Ilion : louche, boiteux d'une jambe, la poitrine creuse entre des épaules voûtées; là-dessus une tête pointue, où végétait un rare duvet. » L'hypotypose a paru si vive que certains critiques y ont vu un portrait contemporain et ont conjecturé qu'Homère exerçait une vengeance.

604. On sait qu'en effet les dialogues de Platon sont remplis d'allusions très vives à des personnages désignés par leur nom.

605. A vrai dire, si, après avoir suivi vingt ans l'enseignement socratique de Platon, Aristote s'en est tout à coup séparé, il n'a parlé toujours qu'avec respect de Platon dans tous les passages de ses écrits où il le nomme. Mais, comme l'a écrit finement Renouvier, « le *liseur*, l'*entendement* de l'École qu'était Aristote (car Platon donnait à Aristote ces deux noms), l'infatigable travailleur, toujours attaché aux faits et enclin à l'observation, devait avoir plus d'estime que de

sympathie pour le beau, le suave, l'idéal et méditatif Platon, qui à son tour se plaignait peut-être de la froideur d'âme et de l'indépendance de son disciple. De telles circonstances... ont pu servir de fondement aux calomnies que les ennemis d'Aristote répandirent sur ses rapports avec son maître. »

606. On sait la rivalité véhémente qui opposa Démosthène à Eschine.

607. Le Pison en question est le Calpurnius Piso, magistrat corrompu, personnage débauché et cruel, qui fut consul en 58, puis gouverneur de la Macédoine, qu'il pilla, et contre lequel à son retour, en 55 av. J.-C., Cicéron prononça le *In Pisonem.* Vatinius est P. Vatinius, tribun du peuple en 59, vendu à César, qui témoigna contre Milon et Sestius, deux amis de Cicéron, et contre qui, à cette occasion, Cicéron dirigea une attaque véhémente. Quant à Antoine, c'est le rival malheureux d'Octave, contre qui le grand orateur prononça ses ardentes *Philippiques.*

608. On ne finirait pas d'énumérer, en effet, toutes les victimes de l'épistolier et du moraliste que fut Sénèque.

609. Pétrarque, dans une lettre du 13 mars 1352 au pape Clément VI, malade de la fièvre *(Ép. fam.*, V, 19), renouvelle les attaques classiques contre les médecins « qui s'instruisent à nos risques et périls, et qui font par les décès leur expérience ». Il s'ensuivit une querelle avec les médecins, où le polémiste plein de verve qu'était Pétrarque combattit les ridicules de l'ancienne médecine de manière à nous faire pressentir Molière.

610. Laurent Valla (1406-1457), l'un de ceux qui, avec le Pogge, contribuèrent le plus à la restauration des lettres, soutint contre celui-ci une lutte interminable où les injures souvent tenaient lieu d'arguments. Cf. ses *Antidoti in Poggium libri IV.*

611. L'humaniste Ange Politien (1454-1494) eut une dispute des plus vives sur la langue latine avec l'humaniste Bartolommée Scala (1430-1497), Toscan comme lui, et que la faveur de Pierre de Médicis avait fait chancelier de la république.

612. Hérésiarque gaulois de la fin du IVe siècle, né à Cazères-sur-Garonne, dans le pays de Comminges, Vigilance, après avoir vendu du vin en Espagne et être devenu prêtre à Barcelone, visita la Palestine avec saint Jérôme, dont il s'attira l'animadversion par son intervention dans la lutte que celui-ci soutenait contre Rufin et Jean de Jérusalem. A son retour en Gaule, Vigilance s'éleva contre le culte rendu aux reliques des martyrs, attaqua les miracles qu'on leur attribuait, etc., et fut réfuté avec acrimonie par saint Jérôme dans des lettres et dans un traité qui nous font connaître seuls aujourd'hui la doctrine dudit Vigilance.

613. Hérésiarque romain de la fin du IVe siècle, Jovinien, moine à Milan, quitta le cloître pour prêcher une doctrine selon laquelle le mariage est un état aussi agréable à Dieu que le célibat, etc. Il fut âprement réfuté par saint Jérôme, et ses partisans furent anathématisés au concile de Milan (390).

614. Écrivain ecclésiastique romain (345-410), condisciple de saint

Jérôme au couvent d'Aquilée, Rufin se lia pendant vingt ans d'une vive amitié avec son condisciple, puis il se brouilla avec lui au sujet d'Origène, qu'il défendit contre saint Jérôme. Ayant traduit le *Periarchion* d'Origène, il vit sa traduction condamnée en cour de Rome sur les instances de saint Jérôme, qui critiqua vivement les travaux et la conduite de son ancien ami par-devant le pape Anastase.

615. Le *Manuel du Soldat chrétien* ou *Enchiridion Militis Christiani*, qu'Érasme avait publié chez F. Martens à Anvers, en février 1504. Dans cet ouvrage, Érasme, fidèle à l'enseignement de Colet et de Vitrier, trace un tableau de la vie chrétienne, et définit aussi les méthodes de la théologie nouvelle.

616. L'*Éducation d'un prince* ou *De Institutione principis christiani*, qui parut en mai 1516, chez J. Froben, à Bâle, fut offerte par Érasme au petit-fils de Maximilien d'Autriche, qui allait être bientôt l'empereur Charles Quint.

617. L'*Éloge*.

618. Cf. *Banquet*, passim, et Macrobe, *Sat.*, II, 8.

619. Horace.

620. Citation d'Horace, *Sat.*, I, 1, 24.

621. Cf. *De la Nature*, I, 935 sq. :

« Les médecins, dit le poète, quand ils veulent faire prendre aux enfants l'absinthe amère, commencent par dorer d'un miel blond et sucré les bords de la coupe : ainsi, le jeune âge imprévoyant, ses lèvres trompées par la douceur, avale en même temps le noir breuvage et, dupé pour son bien, recouvre force et santé. »

622. Cf. note 253.

623. Cf. *Préface* d'Érasme à l'*Éloge de la Folie*, pp. 2-7 de cette édition.

624. Cf. notes 2 et 3.

625. L'*Éloge de la Folie*, qui parut au moment même où Louis XII prétendait convoquer à Pise un concile pour déposer Jules II, empruntait aux circonstances une part de son vif succès.

626. On sait la réputation de sévérité qu'avaient les membres de l'Aréopage d'Athènes.

627. Nom donné aux farces bouffonnes et licencieuses, qui furent la comédie italienne primitive, et qui prirent naissance dans la petite cité osque d'Atella, entre Naples et Capoue. Cf. note 139.

628. Cf. *Phèdre*, début.

629. Cf. *Éloge*, chap. XLIII.

630. Cf. note 388.

631. Citation de Perse, *Sat.*, I, 107.

632. Électuaire purgatif, ainsi nommé à cause des vertus merveilleuses *(hiera)* qu'on lui attribuait et de son amertume *(picra)*.

633. Cf. *Épître à Timothée*, II, 4, 2.

634. De Pyrrhus.

« Une fois, dit Plutarque en sa *Vie de Pyrrhus*, des jeunes gens avaient mal parlé du roi en buvant, et ils ne le pouvaient nier. Le roi leur ayant demandé s'ils avaient bien tenu les propos qu'on leur prêtait : « Ah! seigneur s'écrie l'un d'eux, nous en aurions dit bien d'autres sur votre compte, si la bouteille ne nous avait fait défaut! » Le roi se mit à rire et pardonna. »

635. Cicéron.

636. Cf. Cicéron, *Orator*, LXXXVII; Quintilien, *Inst. or.*, VI, chap. III, *De risu.*

637. Suétone rapporte que César, qui était aussi spirituel qu'indulgent, « ne conçut jamais de haines si fortes qu'il n'y renonçât à l'occasion volontiers... Calvus, après des épigrammes diffamatoires, cherchant à se réconcilier avec lui par l'entremise de ses amis, il lui écrivit de lui-même et le premier. Catulle, dont il n'était pas sans savoir que les petits vers sur Mamurra lui avaient imprimé une flétrissure éternelle, lui faisant des excuses, il l'admit à sa table le jour même et continua de fréquenter la maison de son père comme il en avait pris l'habitude. » Cf. *Vie de César*, LXXIII.

638. L'empereur Vespasien avait, au dire de Suétone, la figure d'un homme qui fait un effort. « C'est ce qui donna lieu, ajoute l'historien, au bon mot d'un plaisant qu'il pressait de faire un trait d'esprit sur son compte : — Je le ferai, dit l'autre, quand tu auras cessé de soulager ton ventre *(cum ventrem exonerare desieris).* » Cf. *Vie de Vespasien*, XXIII.

639. Esclave d'Horace introduit par son maître dans une de ses *Satires* (II, 7) et qui, usant de la liberté des Saturnales, dit à son maître ses quatre vérités.

640. Sainte Eustochie, en latin *Julia Eustochium*, vierge chrétienne, née à Rome d'une illustre famille vers 365, morte vers 419 à Bethléem. Élevée dans la piété par sa mère, sainte Paule, elle fit vœu de virginité à 18 ans et se mit avec sa mère sous la direction de saint Jérôme, qui rédigea pour elle son livre *De la Virginité* (383). La mère et la fille suivirent leur directeur à Bethléem (385), y fondèrent un couvent, dont la fille prit la direction après la mort de sa mère.

641. Cf. note 310.

642. Jeune prêtre dont saint Jérôme a fait l'éloge funèbre.

643. Moine gaulois avec qui correspondit saint Jérôme.

644. Élève d'Érasme à Paris en 1499, Guillaume Blount, de la famille des barons Mountjoy, avait emmené en Angleterre son maître et ami en juin 1499. C'est à lui qu'Érasme, au mois de juin 1500, avait dédié son livre d'*Adages*.

645. Guillaume Warham, archevêque de Cantorbéry, était l'un des amis et protecteurs d'Érasme.

646. Alexandre le Gaulois, natif de Villedieu en Normandie, avait composé vers 1209 une grammaire en vers léonins, intitulée *Doctrinale puerorum*, qui eut dans les écoles du moyen âge une vogue considérable.

647. Cf. note 400.

648. Cf. note 399.

649. Encyclopédie catholique fort en honneur au moyen âge.

650. Autre encyclopédie catholique, compilation de la Bible, des *Legenda Sanctorum*, etc., publiée en 1470.

651. Jean-François le Pogge, humaniste italien (1380-1459), dont Érasme a rappelé plus haut les démêlés avec Valla (cf. note 610), outre les injures, invectives et obscénités qui ornent ses pamphlets, avait donné libre cours à sa verve licencieuse en publiant un recueil de *Facéties*, où les détails scabreux se mêlent à une foule d'observations curieuses sur les mœurs et les gens de son époque.

652. Jean-Jovien Pontan, homme d'État, poète et historien italien, qui fut l'écrivain le plus fécond et le plus élégant de son temps (1426-1503), écrivit entre autres des pièces de vers spirituelles et gracieuses, qui joignent souvent à l'émotion et au sentiment les grâces naïves et piquantes de Catulle. Mais beaucoup de ses églogues, de ses hymnes, de ses épigrammes, de ses élégies, dont on avait donné après sa mort une édition collective à Venise (1505-1518) en 2 vol. in-8°, sont souvent déparées par des obscénités.

653. On connaît le passage des *Annales* (XV, 44) où, loin d'être ému par les supplices des chrétiens que Néron brûlait comme des flambeaux pour éclairer ses fêtes, Tacite dit qu'après tout ils étaient coupables et méritaient les derniers supplices, *adversus sontes et novissima meritos*.

654. Dans la *Vie de Néron* (XVI), Suétone cite parmi les abus « sévèrement punis ou réprimés » par l'empereur les excès des chrétiens, « espèce d'hommes adonnés à une superstition nouvelle et malfaisante », *Christiani, genus hominum superstitionis novae ac maleficae*, à qui des supplices furent infligés.

655. Positiviste et pessimiste, Pline a écrit que la plus grande folie pour l'homme était de souhaiter une autre vie. « C'est se priver, selon lui, du seul bien sûr que la vie nous offre, et qui est la mort. »

656. Les plaisanteries sur l'immortalité de l'âme abondent dans l'œuvre de Lucien, le « Voltaire grec ».

657. Proverbe grec, recueilli par Érasme en ses *Adages*, pour désigner les diverses parties d'un tout. Cf. note 155.

658. Cf. *Inst. Or.*, livre V.

659. Bethsabée.

660. Une seconde édition, considérablement augmentée, des *Adages* avait paru en septembre 1508, chez Alde Manuce, à Venise, avec le titre : « *Six chiliades d'Adages d'Érasme* » *(Erasmi Roterodami Adagiorum Chiliades sex ac Centuriae fere totidem)*.

661. Cf. note 210.

662. Simonide de Céos (556-467 av. J.-C.), surnommé Mélicerte à cause de la douceur de son style, l'un des plus savants poètes lyriques de l'ancienne Grèce. Cf. Plutarque, *De Aud. poet.*, p. 15 D.

663. La réputation de « bêtise » des Thébains et, en général, des Béotiens avait été solidement établie, comme on sait, par les écrivains attiques.

664. Saint Cyprien (200 environ-258), évêque de Carthage et martyr, l'un des Pères de l'Église.

665. Lactance, né en Afrique, mort vers 325 à Trèves, qui, après avoir étudié sous Arnobe et enseigné l'éloquence à Nicomédie, se convertit à la foi chrétienne et fut chargé par l'empereur Constantin de l'éducation de son fils Crispus. Il est l'auteur, entre autres ouvrages, de sept livres d'*Institutiones*, où il combat le paganisme.

666. Érostrate, qui, comme on sait, brûla le fameux temple de Diane à Éphèse à seule fin de rendre son nom célèbre.

667. Cf. note 388.

668. Cf. note 597.

669. Cf. note 412.

670. Cf. note 411.

671. Saint Grégoire de Naziance, père de l'Église grecque, auteur de *Discours*, *Lettres* et *Poésies* (329-389).

672. Jean Scot Erigène, philosophe et théologien anglo-saxon du IXe siècle, appelé ici le premier Scot pour le distinguer de Jean Duns Scot. Cf. note 400.

673. Il ne s'agit pas, comme on l'a cru, de l'évêque de Hertford, jurisconsulte anglais mort en 1275, très versé dans le droit civil et canonique, mais du dominicain trégorrois Briton, mort en 1296, auteur d'abondants commentaires.

674. Docteur et père de l'Église, qui écrivit en grec un grand nombre d'ouvrages (185-253). Origène, comme Érasme le rappelle ici, apprit sur le tard l'hébreu pour pouvoir comparer entre elles les différentes versions de la Bible en usage parmi les chrétiens de son époque. Cf. note 542.

675. Le *Catalogue* des hommes illustres.

676. L'édition du *Nouveau Testament* donnée par Érasme parut chez J. Froben, à Bâle, en 1519 : elle comprenait le texte grec et la traduction du texte. Elle était complétée par un volume d'*Annotationes.*

677. Cf. note 610.

678. Le 13 avril 1505, Érasme avait publié à Paris les *Annotations de Laurent Valla sur le Nouveau Testament :* « simple travail de philologue, observe M. Renaudet, mais qui pouvait donner aux théologiens une leçon de méthode, et leur montrer comment on doit, avant d'expliquer la Bible, en établir le texte avec toutes les précautions de la critique ».

679. Jacques Le Febvre d'Étaples (1455-1537), polygraphe français et l'un des hommes les plus savants de son siècle, avait en 1512 publié une édition des *Épîtres de saint Paul*, accompagnée de commentaires où il émettait des opinions dogmatiques qui le séparaient de l'Église romaine, rejetant la prédestination, n'admettant pas que la foi seule puisse sauver, attachant une médiocre importance à la confession, etc. Il devait voir bientôt certaines de ses affirmations être par la Sorbonne entachées d'hérésie (9 nov. 1521) et certains de ses livres être

saisis par ordre du Parlement. Il dut même chercher asile à Strasbourg, jusqu'au jour où François Ier, quittant sa prison de Madrid, en fit le précepteur du prince Charles, son fils, et le mit ainsi à l'abri.

680. Le 11 mars 1513, c.-à-d. entre l'époque où Érasme avait écrit l'*Éloge de la Folie* et celle de sa réponse à Dorpius, le cardinal Jean de Médicis, succédant à Jules II, prenait la tiare sous le nom de Léon X. Le nouveau pape était un lettré ouvert à toutes les influences de la Renaissance, un ami de l'humanisme érasmien. Dès mars 1514, soit un an après l'élection du pontife, Érasme écrit à Antonin de Bergues, abbé de Saint-Bertin à Saint-Omer, une lettre où il oppose, pour le louer, le nouveau pape, « homme intègre, savant et sage », au belliqueux Jules II. En mars 1515, dans la troisième préface à la publication des *Œuvres* de saint Jérôme, il exprime le vœu que Léon X, « aussi instruit que bon », n'approuvera pas seulement ses efforts, mais les encouragera par de grandes récompenses. Le 15 mai 1515, il écrit à ses amis les cardinaux Riario et Grimani, puis le 21 mai à Léon X lui-même, pour solliciter la protection pontificale et chercher à orienter l'action de Léon X en faveur de l'esprit nouveau. Le 10 juillet, Léon X répondait à Érasme en acceptant, comme Érasme le lui demandait, la dédicace de sa prochaine édition de saint Jérôme, et adressait au roi Henri VIII d'Angleterre une lettre de recommandation chaleureuse en faveur d'Érasme, qui devenait l'un des plus précieux auxiliaires de la Papauté. Cf. sur les rapports d'Érasme avec le nouveau pape le fidèle exposé de Th. Quoniam, *Érasme*, 1935, chap. V.

681. Paludanus est le nom latin de Desmarais, né à Cassel, mort en 1525 recteur de l'Université de Louvain. Il avait été le maître de Gérard Lister.

682. Gérard Lister, médecin et humaniste hollandais, avait écrit des *Commentaires* de l'« *Éloge de la Folie* », dont Érasme fut fort content. Ces commentaires accompagnaient l'édition de l'*Éloge* donnée à Bâle par Froben en 1515, et ils étaient dédiés par « Gérard Lister, Rhénan, à Jean Paludanus ». Ils ont été maintes fois reproduits dans les éditions de l'*Éloge* qui parurent aux XVIe, XVIIe et XVIIIe siècles.

683. Névius était principal au collège du Lis à Louvain.

684. Martin Dorpius ne laissa point sans réponse la lettre d'Érasme. Sa lettre oppose au point de vue des humanistes réformateurs celui des théologiens conservateurs. Il y affirme dès le début que le jugement des théologiens passe avant celui des évêques, dont bien peu, à l'en croire, pratiquaient alors « les vertus que saint Paul, dans son Épître à Timothée, réclame d'un évêque ». Il s'étonne qu'Érasme, qui avait à choisir entre tant de beaux sujets, ait cédé au plaisir d'écrire un pamphlet contre les théologiens : que dirait-il si on traitait ses amis les humanistes comme il a traité lui-même les théologiens ? Pense-t-il qu'on leur doive préférer les poètes et les hellénistes ? Et notamment un Pogge, qui est digne « d'être livré à Vulcain », un Pontan, qui n'est qu'un vaurien ? Dorpius reproche encore à Érasme de parler d'une « nouvelle race de théologiens... funeste par ses travaux », alors que ces théologiens ne lui semblent pas différents des champions de la foi et des saints hommes de l'Église, comme les Bonaventure et les

Thomas. Bref, il maintient à l'encontre de l'humanisme lettré l'attitude hostile des théologiens.

Au contraire, dans le même temps où Dorpius lui répondait âprement, Érasme recevait du cardinal Raphaël Riario, dignitaire de la cour pontificale, une lettre des plus flatteuses. « Tu ériges pour l'Église, lui écrit le cardinal à propos de son édition de saint Jérôme, un monument remarquable... qui rendra ton nom immortel. » Et l'opinion du cardinal Riario sur l'œuvre d'Érasme était partagée par un grand nombre d'évêques.

Elle l'était, il va sans dire, par Thomas Morus, qui, en 1516, écrit à son tour une lettre à Dorpius pour défendre l'*Éloge de la Folie*, et qui publie en 1520 une lettre à un moine qui lui avait envoyé d'indignes calomnies contre Érasme. Trois ans plus tôt, en 1517, étant à Calais et recevant d'Anvers le portrait d'Érasme peint par Quentin Matsys, Morus lui écrivait ces lignes pleines d'affection : « Tu ne peux croire, mon Érasme, mon très cher Érasme *(erasmiotatos)*, combien cette nouvelle attention de ta part m'enchaîne encore davantage à toi!... Et c'est merveille comme je suis suavement transporté quand la pensée me vient que dans les âges les plus lointains je serai rendu fameux par l'amitié, les lettres, les livres et le portrait d'Érasme. » Cf. le P. Bridgett, *Vie de Thomas More*, 109, 110, et Henri Brémond, *l. c.*, chap. II.

INDEX DES NOMS CITÉS

E = *Éloge de la Folie ;* D = *Lettre à Dorpius*

TABLE ANALYTIQUE

DES CHAPITRES DE L'*Éloge de la Folie* ET DE LA *Lettre à Dorpius*

A. — *ÉLOGE DE LA FOLIE*

B. — *LETTRE A DORPIUS*

TABLE DES MATIÈRES

LA PHILOSOPHIE DANS LA GF-FLAMMARION

ANSELME DE CANTORBERY
Proslogion (717)

ARISTOTE
Éthique de Nicomaque (43). Les Politiques (490). De l'âme (711). Parties des animaux, livre I (784).

AUFKLÄRUNG. LES LUMIÈRES ALLEMANDES.
Textes et commentaires par Gérard Raulet (793).

AUGUSTIN (SAINT)
Les Confessions (21).

BACON
La Nouvelle Atlantide (770).

BECCARIA
Des délits et des peines (633).

BERKELEY
Principes de la connaissance humaine (637).

BICHAT
Réflexions sur la vie et la mort (première partie) et autres textes (808).

COMTE
Leçons de sociologie, 1-49 (864).

CONDORCET
Esquisse d'un tableau historique des progrès de l'esprit humain (484). Cinq mémoires sur l'instruction publique (783).

CONFUCIUS
Entretiens (799).

CONSTANT
De l'esprit de conquête et de l'usurpation dans leurs rapports avec la civilisation européenne (456).

CUVIER
Recherches sur les ossements fossiles de quadrupèdes (631).

DARWIN
L'Origine des espèces (685).

DESCARTES
Discours de la méthode (109). Correspondance avec Élisabeth et autres lettres (513). Méditations métaphysiques (328).

DIDEROT
Entretien entre d'Alembert et Diderot. Le Rêve de d'Alembert. Suite de l'entretien (53). Supplément au voyage de Bougainville. Pensées philosophiques. Addition aux pensées philosophiques. Lettre sur les aveugles. Additions à la Lettre sur les aveugles (252).

DIDEROT/D'ALEMBERT
Encyclopédie (426 et 448).

DIOGÈNE LAËRCE
Vie, doctrines et sentences des philosophes illustres (56 et 77).

ECKHART (MAÎTRE)
Traités et sermons (703).

ÉPICTÈTE
Manuel (16).

ÉRASME
Éloge de la folie (36).

FICHTE
La Destination de l'homme (869).

GRADUS PHILOSOPHIQUE (773)

HOBBES
Le Citoyen (385).

HUME
Enquête sur l'entendement humain (343). Enquête sur les principes de la morale (654). Les Passions. Traité de la nature humaine, livre II. Dissertation sur les passions (557). La Morale. Traité de la nature humaine, livre III (702). L'Entendement. Traité de la nature humaine, livre I (701).

KANT
Anthropologie (665). Critique de la raison pure (257). Essai sur les maladies de la tête. Observations sur le sentiment du Beau et du Sublime (571). Opuscules sur l'histoire (522). Vers la paix perpétuelle. Qu'est-ce que les Lumières ? Que signifie s'orienter dans la pensée ? (573). Métaphysique des mœurs. I. Fondation. Introduction (715). II. Doctrine du droit.

Doctrine de la vertu (716). Théorie et pratique (689).

KIERKEGAARD
La Reprise (512).

LA BOÉTIE
Discours de la servitude volontaire (394).

LAMARCK
Philosophie zoologique (707).

LA ROCHEFOUCAULD
Maximes et réflexions diverses (288).

LEIBNIZ
Nouveaux essais sur l'entendement humain (582). Essais de théodicée (209).

LOCKE
Traité du gouvernement civil (408). Lettre sur la tolérance et autres textes (686).

LUCRÈCE
De la nature (30).

MACHIAVEL
Le Prince (317). L'Art de la guerre (615).

MALEBRANCHE
Traité de morale (837).

MALTHUS
Essai sur le principe de population (708 et 722).

MARC AURÈLE
Pensées pour moi-même suivies du Manuel d'Épictète (16).

MONTAIGNE
Essais (210, 211, 212).

MONTESQUIEU
Lettres persanes (19). Considérations sur les causes de la grandeur des Romains et de leur décadence (186). De l'esprit des lois (325 et 326).

MORE
L'Utopie (460).

NIETZSCHE
Le Crépuscule des idoles. Le Cas Wagner (421). Ecce homo. Nietzsche contre Wagner (572). Seconde Considération intempestive (483). Le Livre du philosophe (660). L'Antéchrist (753).

PASCAL
Pensées (266). Préface au Traité du vide. De l'esprit géométrique et autres textes (436).

PASTEUR
Écrits scientifiques et médicaux (825).

PENSEURS GRECS AVANT SOCRATE (31).

PLATON
Le Banquet-Phèdre (4). Apologie de Socrate. Criton. Phédon (75). Protagoras. Euthydème. Gorgias. Ménexène-Ménon. Cratyle (146). Premiers Dialogues (129). République (90). Sophiste. Politique. Philèbe. Timée. Critias (203). Théétète. Parménide (163). Gorgias (465). Phèdre (488). Lettres (466). Ion (529). Euthydème (492). Phédon (489). Ménon (491). Timée. Critias (618). Sophiste (687). Théétète (493). Parménide (688). Platon par lui-même (785).

QUESNAY
Physiocratie (655).

RENAN
L'Avenir de la science (765).

RICARDO
Principes de l'économie politique et de l'impôt (663).

ROUSSEAU
Discours sur l'origine et les fondements de l'inégalité parmi les hommes. Discours sur les sciences et les arts (243). Du contrat social (94). Émile ou de l'éducation (117). Essai sur l'origine des langues et autres textes sur la musique (682). Lettre à M. d'Alembert sur son article Genève (160). Considérations sur le gouvernement de Pologne. L'Économie politique. Projet de constitution pour la Corse (574).

SÉNÈQUE
Lettres à Lucilius (1-29) (599).

SMITH
La Richesse des nations (598 et 626).

SPINOZA
Œuvres. I- Court traité. Traité de la réforme de l'entendement. Principes de la philosophie de Descartes. Pensées métaphysiques (34). II- Traité théologico-politique (50). III- Éthique (57). IV- Traité politique. Lettres (108).

THOMAS D'AQUIN
Contre Averroès (713).

TOCQUEVILLE
De la démocratie en Amérique (353 et 354). L'Ancien Régime et la Révolution (500).

VICO
De l'antique sagesse de l'Italie (742).

VOLTAIRE
Lettres philosophiques (15). Dictionnaire philosophique (28). Traite sur la tolérance (552).

GF – TEXTE INTÉGRAL – GF

96/07/54242-VII-1996 – Impr. MAURY Eurolivres SA, 45300 Manchecourt.
N° d'édition GF003617. – 4e trimestre 1964. – Printed in France.